회귀 경찰의

리셋 라이프

The Reset Life

회귀 경찰의 리셋 라이프 14

초판 1쇄 발행 2022년 9월 13일

지은이 ｜ 한길
발행인 ｜ 신현호
편집장 ｜ 이호준
편집 ｜ 송영규 최종건 정재웅 양동훈 곽원호 조정범 강준석 최성화
편집디자인 ｜ 한방울
영업 ｜ 김민원

펴낸곳 ｜ ㈜ 디앤씨미디어
등록 ｜ 2002년 4월 25일 제20−260호
주소 ｜ 서울시 구로구 디지털로 26길 111 JnK디지털타워 503호
전화 ｜ 02−333−2513(대표)
팩시밀리 ｜ 02−333−2514
E-mail ｜ papy_dnc@dncmedia.co.kr
블로그 ｜ blog.naver.com/gnpdl7

ISBN 979−11−364−3714−3 04810
ISBN 979−11−364−2581−2 (SET)

Papyrus Modern Fantasy
한길 현대 판타지 장편소설
회귀경찰의
리셋라이프
14
PAPYRUS
파피루스

1장. 당신들 말고(2) ……………………………7

2장. 다시 중경으로 …………………………… 43

3장. 안녕하세요! 김예지입니다! ………… 105

4장. ……달칵 …………………………………157

5장. 화창한 여름이 오면………………… 237

1장. 당신들 말고(2)

당신들 말고(2)

'빌어먹을!'

이렇게까지 말하는데 더 엉덩이를 뭉갰다가는 자신에게 다른 속내가 있거나 우봉리 주민들을 얕잡아 보고 있다는 걸 자백하는 꼴밖에 안 된다.

"허허, 그래요. 내가 실수했습니다. 그렇죠. 피해 당사자가 말해야 더 진심이 전해지는 법이지요."

종혁은 개소리를 지껄이는 홍익현을 무시하며 시위대를 바라봤다.

"너희들도 교실 밖으로 꺼져. 너희들이 여기에 있는 것만으로도 이분들에겐 압박이 되니까."

그 압박은 결국 생각을 한 방향으로 종용하게 된다. 그래선 피해자들의 진솔한 목소리를 들을 수가 없었다.

"아, 신부님은 남아 주십시오. 이분들의 멘탈이 흔들리

면 잡아 줘야 할 변호인과 카메라를 조작해야 될 스태프
는 필요하니까."

"……알겠습니다."

종혁을 묘한 눈으로 바라보다 고개를 끄덕인 우정경 신
부는 시위대와 홍익현을 교실 밖으로 내보냈고, 카메라
근처에 자리를 잡았다.

그런 우정경의 시선을 받은 주민들도 엉거주춤 의자에
앉았다.

"신부님, 이분들이 드실 커피나 초콜릿 같은 걸 내주실
수 있겠습니까?"

당분을 섭취해야 긴장이 이완되고 뇌 운동이 빨라진다.

"잠시만 기다려 주십시오."

주민들에게 양해를 구하는 종혁을 일견한 우정경은 얼
른 교실 밖으로 향했고, 이내 곧 초콜릿과 캔커피 등을
가져왔다.

극한의 상황에서 충분히 식량 대용이 되면서도 여차하
면 무기가 되기에 시위대가 가져온 것들.

그것들을 얼떨떨해하며 받아 든 주민들이 섭취를 시작
하는 걸 가만히 응시하던 종혁은 그들의 어깨가 약간 내
려앉자 입을 열었다.

"갑자기 이런 자리를 만드는 제 행동에 많이 당황하시
고 놀라셨을 겁니다. 이해도 못하셨을 테고요. 하지만 방
금 전에도 말했듯 여러분이 직접 말하지 않으면 경찰인
저로선 그 말을 상부에 전하기가 힘듭니다. 여러분들의

증언이 아닌 저들의 말은 협박이 되기 때문입니다."

세상에 협박을 받고 좋아할 사람은 없다.

혹여 일이 잘 풀려 유야무야 넘어간다고 해도 나중에 불이익을 받을 수 있었다.

"부, 불이익이라니요!"

"지금 협박을 하는 거요?"

"협박이 아니라 저들이 물러간 이후, 다시 어르신들의 목소리가 줄어들었을 때의 현실을 말하는 겁니다."

아니, 사태가 끝나면 원하는 걸 쟁취했든 쟁취하지 않았든 우봉리 주민들은 이제 목소리를 낼 수 없게 된다. 혹여 나중에 부당한 일을 생겨 아무리 외쳐도 그 누구도 주목하지 않는다.

시위대를 불러들였다는 건 그런 의미였다.

시위는 최후의 선택.

그 결과가 성공이든 실패든 거기서 끝이다. 다시 시위를 하지 않는 이상 세상이 주목할 리가 없다.

"그렇게 끝을 맺은 어르신들을 위해 저들이 응집해 줄까요?"

종혁은 우정경 신부를 응시했다.

"실패를 한다고 해도 이분들은 돈을 받고 거주지를 옮기게 될 겁니다. 그때도 보상이 적다고 응집해 주실 겁니까? 제대로 된 보상을 받을 그날까지 매일, 매시간 투쟁해 주실 겁니까?"

"그건, 음……."

"시, 신부님?"

충격을 받은 주민들을 일견한 종혁은 교실 밖에서 발끈하는 시위대들을 쳐다봤다.

"잘 생각해. 보상을 받고 끝난 일에 국민들이 호응해 줄 것 같아? 너희가 그 외로운 싸움을 이어 갈 수 있을 것 같아? 그런데 그건 대체 누굴 위한 투쟁이지?"

"당연히⋯⋯!"

"너흰 이런 투쟁이 삶이지만, 이분들은 농사가 삶이야. 먹고살기 위해 농사를 지어야 하고, 손주들에게 용돈이라도 주기 위해 김을 매야 해. 그런 이분들이 얼마나 버틸 수 있을까? 그걸 외면하고 계속 투쟁하는 순간 너희는 정말 깡패가 되는 거다."

"⋯⋯."

잔인하지만 이게 현실이었다.

종혁은 충격에서 헤어나지 못하는 주민들의 손을 잡았다.

"이래서 제가 피해자이신 여러분들을 앞으로 나오시라고 한 겁니다. 저들은 어디까지나 외부인입니다. 여러분들의 목소리는 여러분이 내셔야 합니다."

"음⋯⋯."

생각지 못했던 현실을 알게 된 주민들의 표정이 변한다.

복잡미묘한 눈이 종혁에게 꽂힌다.

"이걸 왜 말해 주는 거요, 형사님."

"경찰이니까요."

피해자의 목소리를 듣는 건 언제나 경찰이다. 실행으로

옮기느냐 견찰처럼 묵인하냐의 차이가 있을 뿐이다.

당연하다는 듯 일말의 망설임도 없는 종혁의 말에 그들의 몸이 굳었다.

종혁은 아직 놓지 않은 그들의 손을 다시 힘주어 잡았다.

"여러분들의 목소리를, 그때와는 다를 현재 여러분들의 심정을 전해야 합니다. 어르신들이 소리 내어 외치지 않으면 그 누구도 어르신들의 마음을 알아차릴 수가 없습니다."

"……그럼 형사님은 알 수 있다는 겁니까?"

"들으려고 노력하겠습니다. 그리고 이 사태를 야기한 범인이 처벌받을 수 있도록 노력하겠습니다."

"대, 대통령 각하를요?"

"아니, 대통령님은 좀……. 아니, 그 밑 정치인들도…… 제가 일개 경찰이라……. 나중에 미국 대통령이나 러시아 대통령이 되면 한번 시도해 보겠습니다."

주민들은 종혁의 너스레에 실소를 터트렸다.

"허허허. 담배 좀 태워도 되겠습니까?"

'됐다.'

드디어 피해자들이 속에 담고 있는 걸 말할 준비가 되었다.

종혁은 그들의 담배에 불을 붙여 주었고, 그들의 이야기가 시작되었다.

"후우. 미군 기지가 이전된다는 말이 나오기 전에 귀농을 한다는 막둥이 때문에 집을 새로 지었어요. 농사지으라고 땅도 샀죠."

"아이고, 아드님이 훌륭한 결정을 하셨군요."

"훌륭한 결정은 무슨."

코웃음을 친 육십대 노인이 한구석에서 시선을 돌리고 있는 이십대의 남성을 노려본다.

같은 곳을 바라본 종혁은 이마를 잡았다.

"어이쿠."

남성이 얼굴이 빨갛게 달아오른 만삭의 아내와 서너 살쯤 되어 보이는 딸의 손을 잡고 있다.

"얼굴 한 번 못 본 새아가를, 그것도 만삭이 된 새아가를 데려와 결혼시켜 달라고 말하는데……."

우봉리 주민들이 웃음을 흘린다.

종혁도 마찬가지였다. 웃으면 안 되는데 웃음이 나올 수밖에 없었다.

"어휴. 저걸 그때 때려죽였어야 했는데!"

"그랬다면 저 예쁜 손녀와 며느님은 못 보셨겠죠."

"내가 그래서 아직까지 저놈을 살려 주고 있는 겁니다!"

"우하하하하!"

"춘식이 이놈아! 너 잘해! 네 아빠가 그 집이랑 땅 마련한다고 얼마나 돌아다녔는지 알아?!"

"끄으응."

차마 입을 열지 못하는 남성의 모습에 다시 웃음이 터진다.

노인도 웃음이 가득한 눈물을 닦으며 종혁을 보았다.

"나야 곧 관짝에 들어갈 텐데 그런 돈이 뭐 필요하겠습니까."

하지만…….

"아비 하나 믿고 다시 이 시골로 내려온 막둥이와 그런 저놈을 지아비라 여겨 서울 생활을 포기한 새아가와 손녀는 앞으로 어떻게 살라는 겁니까. 뭘 먹고 입으며 살라는 겁니까."

정부에게 요구하는 건 그런 돈이다.

생존권이 아니다.

그저 등 하나 뉘일 집과 손바닥만 한 밭떼기만 있어도 먹고사는 데 지장이 없다 생각하는 그들은 남겨질 자식들을 위해, 자식들이 조금이라도 더 풍족해질 수 있도록 하기 위해 목소리를 높인 것이다.

"……흑!"

"쿨쩍. 에이, 씨부럴."

시위대도 고개를 돌리며 달아오른 눈시울을 감춘다.

분명 그들도 이곳에 도착했을 때 들은 이야기다. 우봉리 주민들이 어째서 도움을 바라는지 다 들었다.

그런데 다르다. 그때 들었던 것과 달랐다.

더 깊다. 더욱더 아팠다.

진짜 피해자의 목소리가 이젠 무슨 뜻인지 알 것 같았

다. 종혁이 왜 자신들을 외부인 취급을 하며 험하게 다뤘는지까지.

그들은 차마 고개를 들 수가 없었다.

'이 사람……'

우정경 신부는 파르르 떨리는 눈으로 종혁을 응시했다.

그동안 그렇게 노력했어도 자신들은 듣지 못한 속마음을 이끌어 낸 종혁.

'아니, 난 이분들의 진짜 이야기를 들으려고 노력했던가?'

그런 의문이 우정경 신부를 잠식해 갔다.

그는 성호를 그리며 눈을 감았다.

"어르신의 이 마음, 분명 위에 닿을 겁니다. 아니, 제가 닿게 하겠습니다."

"꼭 부탁드리겠습니다. 정말 난 다른 걸, 큰 걸 원하는 게 아닙니다!"

종혁은 꼭 그러겠다고 주름지고 뻣뻣한 손등을 두드렸다. 그리고 그 옆에 힘겹게 앉아 있는 칠십대 할머니를 바라보았다.

등이 잔뜩 굽었어도 어떻게든 꼿꼿이 서려는 할머니의 주름진 눈은 참 맑았다.

"이봐요, 형사 양반. 내 몸이 어때 보입니까?"

"많이 불편해 보이십니다. 예전에 중풍에 걸리셨나 보군요. 왼쪽 팔과 다리를 움직이기 힘드시죠? 얼굴 근육도 부자연스럽네요."

우봉리 주민들 모두가 놀라 종혁을 본다. 시위대도 마찬가지다.

"마, 말도 안 돼."

"부, 분명⋯⋯."

할머니는 신통방통하다며 빙그레 웃었다.

"그뿐일까요. 굽은 등에 눌린 신경 때문에 잠을⋯⋯."

후다닥!

"비, 비상이야! 비상-!"

사람들은 다급히 달려온 동료를 죽일 듯 노려봤다.

이제야 듣는 진짜 이야기를 방해하는 사람은 동료라도 결코 용납할 수 없었다.

"뭐, 뭐야? 아씨, 이럴 때가 아니야! 다 튀어나와! 경찰들이 쳐들어온다고!"

"⋯⋯뭐?! 갑자기 왜!"

"나도 몰라! 씨발, 만 명이 넘는 것 같아!"

거대한 술렁임과 당혹이 그들의 머리를 집어삼킨다.

그 순간 커다란 외침이 그들을 강타했다.

"뭐해! 가서 막아!"

시위대, 아니 사람들은 멍하니 종혁을 바라봤다.

"너희들이 하는 일이 그거잖아! 막는 거!"

이제야 진짜 속내를 듣고 있다. 이대로 입을 다물게 해선 안 된다.

"가서 막아! 맞아 죽어도 막아! 혹여 대통령이 온다고 해도 절대 이 안에 발을 딛게 하지 마! 알았어?!"

형사가 피해자의 이야기를 듣고 있다.

결코 그 누구도 방해할 순 없는 순간이었다.

그래야 피해자의 말을 온전히 들을 수 있기에. 오롯이 형사만이 소유할 수 있는 시간이었다.

단호한 종혁의 눈에 이를 악문 우정경 신부는 크게 외쳤다.

"최 형사님 말처럼 움직이세요! 어서!"

"……예, 신부님!"

"씨발. 다 튀어 나가―!"

우르르르르!

시위대가 모두 달려 나가자 종혁은 놀란 할머니를 향해 푸근히 웃어 주었다.

"계속 말씀하시죠. 굽은 등에 눌린 신경 때문에 잠을 못 이루신다고요?"

종혁을 빤히 본 할머니는 표정을 단단히 굳혔다.

"……예, 제대로 못 자요."

아파서 깬다. 시시때때로 찾아와 온몸을 때리는 벼락에 거동조차 힘들다.

"하루에도 몇 번씩 혀를 깨물고 싶은데……."

"어이구, 그러시면 안 되죠."

"네. 저도 그럴 수가 없어요. 난 더 살고 싶어요, 형사 양반. 천년만년 누구 한 명 돌봐 주지 않아 벽에 똥칠을 해도 살고 싶어요."

그런데 몸이 이렇게 불편하면 필요한 게 참 많다.

"다, 다른 마을 사람과는 다른 게, 나 잘 살자고……."

"다른 게 아닙니다. 충분히 그러셔도 되고, 내 삶을 위해 싸운다고 누구 한 명 욕할 사람 없습니다. 욕을 하는 그놈이 나쁜 거예요."

"그래! 그놈이 죽일 놈이지!"

"어떤 놈이 우리 누님한테 그런 말을 했어! 어? 누구야!"

"……어흐흑!"

얼마나 괴로웠을까.

당연한 일을 당연히 말하지 못해 얼마나 힘들었을까.

―와아아아아!

―죽여! 막아!

―전진!

종혁은 다시 놀라는 할머니를 향해 입을 열었다.

"할머니, 저 보세요. 어떤 게 필요하세요? 집에 어떤 게 있어야 천년만년 사실 것 같으세요?"

"나, 난……."

할머니의 입이 떠듬떠듬 열리며 필요한 것을 말했다.

눈물이 날 만큼 참 사소한 것들이었다.

* * *

우봉리 주민들의 진실한 속내를 알게 된 시위대는 정말 이를 악물고 경찰들을 막았다.

종혁이 주민들의 이야기를 모두 들을 수 있도록 시간을

벌기 위해 피가 터지고 뼈가 부러지고 잡혀가도 막고 또 막았다.

분하지만 종혁만이 주민들의 이야기를 들을 자격을 갖췄기에 그들은 자신들이 할 수 있는 일인 결사항전을 했다.

하지만 이곳에 파견된 경찰 병력만 무려 만오천여 명이었다.

압도적인 숫자와 물대포로 사방에서 몰아치니 그들은 어젯밤 겨우 백 미터 물러난 게 다행일 정도로 계속 밀리고 밀리다 결국 우봉 분교 담벼락 안에 갇히게 되었다.

"씨발! 들어와! 들어와 봐!"

"화염병 가져와—!"

담벼락 위에서 죽창을 번들거리며 농성을 하는 시위대들. 그런 그들을 향해 종혁을 석방하라는 외침이 뿌려진다.

그럼에도 시위대는 그럴 수 없다는 듯 더 격렬하게 죽창을 휘둘렀다.

"저 씨발 새끼들이……! 잡지 마! 잡지 말라고!"

"혼자 가서 뭐 어쩌려고!"

"종혁이는 저기 혼자 있어—!"

"알아! 그러니까 같이 가자는 거야. 경대 48기—!"

"왜—!"

"연장 점검해. 들어간다."

"씨발. 오늘 염라대왕과 면담 좀 하겠네!"

"아, 얼굴은 다치면 안 되는데."

현재 이 자리에 집결한 경찰대학교 48기 총원 92명.

방금 전까지 세상을 무너트릴 듯 날뛰던 92마리의 맹수가 수백 명을 잡아 찢기 위한 도약을 위해 몸을 낮추었다.

그 순간이었다.

ㅡ시위대는 지금 당장 잡아간 최종혁 경정을…… 어?

"어? 뭐야?"

슬렁슬렁!

사람들이 우봉 분교 건물을 보며 눈을 비빈다.

"아까 얻어맞은 눈이 삐꾸가 됐나……. 왜 이상한 게 보이지?"

"난 머리가 이상해졌나 봐. 너랑 같은 게 보이는 것 같다."

"그렇지? 내가 지금 환각을 보는 게 아니지?!"

"어. 아니야."

"그럼 씨발 저건 뭔데ㅡ!"

종혁이 멀쩡한 모습으로 느긋하게 걸어 나오고 있다.

아니, 그뿐만이 아니다.

우봉리 주민들로 보이는 이들이 종혁에게 허리를 굽실거리고 종혁도 그들에게 굽실거리고 있다.

그리고 그들과 함께 이쪽을 향해 걸어오고 있다.

누구의 방해도 받지 않으며, 아니 분분이 비켜서는 시위대들 사이로 거침없이 걸어오고 있다.

"허허. 이 홍익현이 이끌어 낸 우봉리 주민들의 이야기 좀 잘⋯⋯."

"응? 뭐야. 니들이 여긴 왜 있냐? 꼬라지는 또 왜 그렇고?"

종혁은 기동복을 입은 채 피 묻은 무기들을 들고 있는 동기들의 모습에 고개를 모로 기울이다 활짝 웃었다.

"오올. 동기 위험하다고 온 거야? 크으. 역시 내가 친구들 하난 잘 뒀다니까. 어르신들, 제 친구들 아주 멋지죠?"

우봉리 주민들은 엄지를 치켜들었고, 종혁의 동기들과 경찰 병력은 울상을 지었다.

"씨발. 무사하냐?"

"그럼 안 무사해 보이냐?"

동기들의 뒤를 본 종혁은 눈을 동그랗게 떴다.

"팀장님! 여기요! 아, 좀 비켜 봐요! 팀장님-!"

"씨발, 빨리 와. 최 팀장!"

종혁은 손을 흔드는 최재수와 오택수를 보곤 피식 웃었다.

고작 며칠 만이지만, 일들이 많아서 그런지 오랜만에 보는 것 같은 팀원들.

하지만 그보다 더 기쁜 건 그들이 뒷목을 잡고 있는 사내들이다.

'타이밍 완벽하네.'

안 그래도 이쯤에서 밝히려고 했는데, 팀원들이 증거

까지 가져왔다. 종혁은 옆에서 어떻게든 한 발 걸치려 나
불대다가 하얗게 질리는 홍익현에 입술을 비틀며 우봉리
어르신들의 손을 잡았다.

"아무튼 전 이만 가 보겠습니다."

"네. 부탁드립니다, 형사님."

"예. 제가 꼭 전달해 드릴 테니 걱정 마세요. 그리고 혹
시라도 잘 안 되더라도 다신 이런 사람들 부르지 마세요.
왜냐하면……"

탁!

몸을 날린 종혁은 슬금슬금 뒤로 물러나던 홍익현, 아
니 그 보좌관의 머리채를 잡았다.

"어디 가, 새끼야."

그 순간.

쉭!

종혁의 턱을 향해 솟구치는 주먹.

'오? 이 새끼 뭐지?'

예사 솜씨가 아니지만, 지금은 그게 중요한 게 아니다.

고개를 꺾어 간단하게 피한 종혁은 머리채를 잡아 그대
로 동기들을 향해 던져 버렸다.

"웃챠!"

뿌드드득!

"끄아아아아악……!"

"뭔지 몰라도 잡아! 눌러!"

"이, 이게 무슨 짓……"

"에이."

손가락에 잔뜩 휘감긴 머리카락을 떼어 내던 종혁은 눈동자가 격렬하게 흔들리는 홍익현을 향해 사납게 웃어 주었다.

"아, 무슨 짓인지 당신이 더 잘 알잖아요, 홍익현 의원님. 알박기를 아주 예술로 하셨데? 그 땅들을 어떻게 매입하셨는지 몰라?"

"무, 무슨……!"

펄쩍 뛰었던 홍익현은 조용히, 그리고 흔들리는 눈으로 쳐다보는 시위대에 모든 게 다 끝났음을 깨닫게 되었다.

'개 같은!'

하지만 이대로 순순히 자백할 수 없었다.

이대로 종혁만 사라져 주면 종혁이 해 놓은 모든 것을, 우봉리 사태를 자신이 해결했다는 것으로 조작해 전국적인 스타가 될 수 있는데 어찌 말할 수 있을까.

그땐 정치 인생까지 끝이었다.

"아니에요! 모함입니다! 이봐, 최 팀장! 지금 뭐하는 짓이야!"

"오해인지 아닌지는 검찰에 출두하셔서 이야기하시고. 불체포특권 때문에 산 줄 아셔. 아니었으면 당신도 저 꼴 당했어."

"이 사람이 그래도! 아닙니다! 아니에요!"

홍익현은 길길이 날뛰었지만, 무시한 종혁은 불신과 혼란에 휩싸여 있는 우종경 신부를 향해 입을 열었다.

"아무리 뜻이 좋다고 해도 모든 이가 착한 건 아닙니다, 신부님."

"저, 저는……."

"신부님! 저런 무도한 사람의 말은 들을 필요 없습니다! 우 신부님-!"

우종경 신부에게 고개를 숙인 종혁은 동기들을 향해 발을 뗐다.

* * *

"뭐야. 대체 뭐가 어떻게 된 건데! 너 다치지 않은 거야? 야, 최종혁!"

"미안. 일단 이것부터 전하고."

정신적 지주, 아니 저들에게 든든한 기둥이자 바깥과 소통할 수 있는 창구였던 홍익현에게 큰 의혹이 생기면서 저들의 응집력에 균열이 생겼다. 아니, 균열을 만들었다.

이제 시위대는 전과 같은 힘을 내지 못할 터.

'그러면 더 이상 사망자가 나올 걱정을 하지 않아도 되겠지.'

궁지에 몰린 쥐가 고양이를 문다지만, 그것도 그럴 힘이 있어야 가능하다. 이제 저들은 정부의 선택을 기다려야만 할 처지가 되었다.

이게 종혁의 계획이었다.

종혁이 들어 올린 캠코더 테이프들을 본 사람들은 입을 다물었고, 종혁은 성큼성큼 걸음을 옮겨 지휘부 막사 안으로 향했다.

　'박 부장님? 교수님까지?'

　임성원 교수와 박영일 부장이 손을 들며 폴짝폴짝 뛰고 있다.

　'뭘 이렇게 다 왔대?'

　기분이 좋아진 종혁은 힘차게 막사 안으로 들어갔다.

　"충성! 경정 최종혁!"

　"최 팀장!"

　경기청장이 양팔 벌려 달려와 종혁을 와락 끌어안는다.

　"괜찮나? 어디 다친 곳은 없지? 욕봤어. 그래, 정말 욕봤어."

　"경기청장님의 걱정 덕분에 이렇게 무사히 빠져나올 수 있었습니다. 충성!"

　"허허, 그래?"

　흐뭇해하는 경기청장과 몇 마디 말을 더 나눈 종혁은 정부 쪽 담당자에게 다가가 캠코더 테이프들을 내밀었다.

　"이건 뭡니까?"

　"우봉리 주민들의 요구 사항입니다. 시위대, 홍익현 의원, 우정경 신부가 아닌 진짜 우봉리에 사는 주민들의 요구 사항, 그들이 주거지 이전 후 바라는 삶입니다. 꼭 대통령님께 전달해 주십시오."

"무, 무슨……."

종혁은 당황하는 그를 향해 이를 드러냈다.

"미친개한테 물려서 창창한 앞길이 아작 나고 싶은 게 아니라면 내 말대로 하는 게 좋을 겁니다. 어디 같잖게 들리시면 그래 보시든가. 아, 그리고 이 말도 전해 주세요. 보상은 꼭 돈으로만 하는 게 아니라고."

오싹!

온몸을 엄습하는 살의에 정부 관계자의 입이 다물어졌다.

'이걸 보고도 계속 입장을 고수한다면 뭐…….'

그땐 박노형과의 관계도 끝이었다.

정부 관계자의 가슴을 툭 밀친 종혁은 돌아섰고, 멍해 있던 정부 관계자는 길길이 날뛰었다.

"저, 저 친구 뭡니까!"

"……허허. 이거 감금되면서 스트레스를 많이 받았나 봅니다. 이해해 주세요. 젊은 친구 아닙니까."

경기청장을 그렇게 말했지만, 그 시선은 캠코더 테이프를 향해 있었다.

'대체 저기에 어떤 게 담겨 있기에…….'

능력도 능력이지만 눈치도 좋은 종혁이 이렇게 날을 세울 정도라면 분명 저들에게 뭘 들었어도 들은 거다.

'나도 보고 싶은데…….'

경기청장의 눈이 가늘게 떠졌다.

아무래도 저 테이프에 자신의 미래를 결정지을 무언가

가 있을 법한 예감이 들었기 때문이다.

한편 밖으로 나온 종혁은 찾아온 지인들에게 둘러싸인 후였다.

"정말 괜찮아? 어디 맞은 데는 없어?"

"내가 어디서 맞고 다니겠냐? 아니, 그보다 와 줘서 고맙다. 고맙습니다, 교수님."

종혁의 잔잔한 미소에 그들의 눈시울이 붉어진다.

"……씨발놈. 사람 걱정이나 시키고."

"어디 다친 곳 없다면 됐다."

"그래서 안에서 무슨 일이 있었는데? 그리고 홍익현 의원의 보좌관을 왜 저렇게 개처럼 끌고 나온 거고?"

종혁은 자신의 얼굴에 카메라를 들이미는 박영일의 모습에 떨떠름한 표정을 지었다.

"이런 상황에서도 인터뷰를 하고 싶습니까?"

"이런 상황이니까 무조건 해야지. 지금 기자 얕보냐?"

피식 웃은 종혁은 고개를 끄덕였다. 그렇지 않아도 기자들을 통해 알려야 할 이야기가 있었기 때문이다.

"형사가 왜 사람을 저렇게 끌고 나왔겠습니까. 홍익현 의원에게 중대한 범죄 정황이 드러났고, 그래서 보좌관을 검거한 겁니다."

쿵!

경악한 사람들이 종혁과 고개를 숙이고 있는 보좌관을 번갈아 봤고, 박영일 기자의 눈이 먹잇감을 포착한 맹수처럼 번뜩였다.

"어떤 정황이 드러난 겁니까, 최종혁 팀장님!"

"정부 보상금 및 땅값 상승을 노린 소위 알박기입니다. 홍익현 의원은, 아니 홍익현 의원의 보좌관은 전국의 의인들이 우봉리 주민을 돕고자 우봉리 인근의 땅을 매입하는 틈을 타 지인들을 동원해 우봉리와 대형리 등 약 17억 원 상당의 땅을 매입했고, 우연한 기회에 그 정보를 입수한 저희 경찰은 증거를 확보하여 보좌관을 검거하게 됐습니다."

"미친……."

"세상엔 의인들만 있는 게 아니라는 경종을 울린 사건이 아닐 수 없습니다. 이상입니다."

종혁은 끊어 달라는 신호를 보냈고, 단독 특종이라며 주먹을 부르르 떨던 박영일은 다시 눈을 빛냈다.

뭔가 더 있다는 느낌을 지울 수 없었기 때문이다.

"그래서 오프 더 레코드로는?"

"17억이 아니라 27억이요."

"히엑!"

새된 소리를 내지른 사람들은 혀를 내둘렀다.

"아니, 그 많은 땅을 어떻게 매입했대?"

"내 말이요. 능력도 좋아. 하지만 뭐 이젠 나가리죠."

"그럼 네가 들고 온 테이프는? 왜 주민들과 시위대가 널 그렇게 정중히 배웅한 건데?"

"저에게 묻기보다 청와대로 달려가시는 게 빠를걸요?"

"뭐? 야, 인마!"

"이후에 복사본을 드리든 할게요."

지금 언론에 밝히는 건 박노형 대통령을 압박하는 꼴밖에 안 된다. 이건 훗날 그릇된 판단을 할 그를 찌를 비수였다.

"……하, 짜식 진짜. 약속한 거다."

"제 얼굴 모자이크해 주시면요, 큭큭. 아무튼 와주셔서 감사합니다."

"마지막! 이 사태가 어떻게 끝날 것 같습니까!"

'대통령의 결정에 의해 달라지겠지.'

"그럼 이만."

"최종혁 팀장님!"

돌아서던 종혁은 쭈뼛쭈뼛 다가오는 이충호들을 발견하곤 걸음을 멈췄다.

"교, 교관님……."

"이 씨발놈들이 뭐 잘났다고……."

발끈하는 동기들을 멈추게 한 종혁은 차갑게 가라앉은 눈으로 이충호들을 응시했다.

자신이 잡혀 있는 동안 어떤 험한 꼴을 당한 건지 넝마주이가 따로 없는 그들.

'하, 이놈들을 어찌한다?'

아직은 반민간인 신분인 이들이 시위대에 끌려갔다면 어떻게 됐을까. 경찰은 병력을 뒤로 물릴 수밖에 없었을 테고, 아마 홍익현 의원의 뜻대로 모든 일이 진행됐을 것이다.

어쩌면 상부의 누군가가 오판을 해 무리하게 경찰 병력을 밀어붙였다가 사망자가 발생했을지도 모른다.

생각만 해도 아찔했던 상황이었다.

'씨발놈들.'

"일단…… 돌아가서 보자."

자신이 위험에 처했다는 소식에 고민도 하지 않고 달려온 이들을 다독이는 게 먼저다.

어머니 고정숙도 말이다.

종혁은 돌아서며 핸드폰을 들었다.

"예, 어머니."

−전 자식 없어요.

"……엄마? 엄마! 여사님! 어마마마!"

종혁은 필사적으로 외쳤다.

*　*　*

청와대의 회의실.

평택 우봉리에서 전해져 온 8시간 4분짜리 영상을 모두 시청한 박노형 대통령이 피로가 가득한 얼굴로 관자놀이를 누른다.

"……이게 원본이라고요?"

"예. 하지만 복사본이 없다고 장담할 순 없습니다."

"그렇겠죠."

'그 영악한 젊은 친구가 그런 장치를 하나 해 두지 않았

을까.'

이렇게 대통령을 압박하는 귀여운 수작을 부린 종혁이 말이다.

이런 걸 보고도 어찌 가만히 있을 수 있을까.

박노형 대통령은 볼에 들러붙어 있는 눈물 자국을 문질 렀다.

"일단 우봉리를 조사하고 배상금을 책정한, 이번 프로 젝트에 모인 모든 직원에게 사직서 받으세요. 그게 장차 관이라 해도."

"예!"

박노형 대통령과 함께 영상을 시청한 비서실장은 기꺼 이 고개를 숙였다. 이런 걸 보고도 다른 말을 한다면 그 가 개새끼일 것이다.

"홍익현 의원 같은 무뢰배가 더 있는지 중앙지검에 조 사를 의뢰하시고요."

마음 같아선 종혁에게 맡기고 싶지만, 혹시라도 홍익현 외 다른 국회의원이 투기를 했다는 사실이 드러난다면 경찰은 감당할 수 없다.

"강철선 부장검사가 담당이 되면 좋겠군요. 아니, 특수 부가 맡는 게 모양새가 좋겠군요."

강철선을 중앙지검 특수부 부장검사로 앉히라는 뜻.

"예, 제가 직접 중앙지검장을 만나 보겠습니다-!"

대통령의 인사 권한은 어디까지나 검찰총장뿐이다. 나 머진 검찰의 권한이었다.

"하지만 배상은 책정된 대로 강행합니다."

"대통령님!"

"지금 여기서 우봉리 주민들의 손을 들어 주면 차후에 문제가 생긴다는 건 실장도 잘 알지 않습니까."

"음……."

"대신 우봉리 주민들이 이주할 구역을 특구로 지정합시다."

종혁이 말했다고 한다. 보상은 꼭 돈으로 하지 않아도 된다고.

"특구…… 말입니까? 어떤?"

"그거야 비서실장께서 고민하셔야 할 일이죠."

"끙. 대통령님……."

"하하. 농촌 농업진흥이라는 명분도 좋고, 특수 작물 좋고, 농촌청년 지원도 좋으니 뭐든 주민들이 부족함 없이 살아갈 수 있는 방법을 구상하세요. 주민들이 원하는 불편 사항들을 최우선적으로 지원, 개선할 수 있도록. 이 점을 내세워 주민들과 협상하시고, 미군에게 양보를 받을 수 있는 게 있는지 간추려 보세요."

사태를 원만하게 해결했으니 그들도 다행이라 여길 터. 분명 얻어 낼 수 있는 게 있을 거다.

"아, 예!"

"그리고…… 거참."

말을 하던 박노형 대통령은 헛웃음을 터트렸다.

이러면 결국 전에 종혁이 말했던 일들을 들어줄 수밖에

없다. 아니, 들어줄 수밖에 없게 되어 버렸다.

대한민국 권력의 정점인 대통령이 일개 형사에게 진 것이다.

"우리 회장님들과의 오찬 날짜 잡으시고, 군에 한 번 더 압력을 넣으세요. 그리고 이택문 청장에게 들어오라고 전하고요. 어떻게 해야 경찰의 공권력을 높일 수 있는지 경찰청장에게 직접 들어 봐야겠습니다."

"예!"

"아, 최종혁 경정은 안 됩니다. 그 친구, 여차하면 내 밑천까지 탈탈 털어 갈 아주 못된 사람입니다."

"하하하! 예!"

그리고 손을 저은 박노형은 담배를 물었고, 비서실장은 고개를 꾸벅 숙이며 회의실을 나섰다.

달칵!

"후우……."

일어나 걸음을 옮긴 그는 창밖을 바라봤다.

"최종혁……."

고작 경찰 한 명이 시위대에 잡혀갔을 뿐인데 청와대 전화기에 불이 났다.

박노형 그 자신이 대통령이 되는 데 지대한 공을 올린 인물이라 이력을 조사하긴 했지만, 이 정도로 각국이 원할 줄은 몰랐던 박노형 대통령.

"그렇게 쓸 거면 차라리 자기들에게 달라고 했던가?"

다들 돌려 말하긴 했지만 그 말이 그 말이었다.

심지어 얼마 전 독도 망언을 지껄여 국민들의 속을 뒤집고 박노형 자신으로 하여금 대국민 연설 '독도 담화'를 하게 만든 일본에서도 그 말이 나왔을 땐 정말 쓰러지는 줄 알았다.

"거참, 엄청난 친구가 이 나라 시민들의 안전을 지키고 있었구만."

이 나라의 미래가 참 밝았다.

"앞으로도 국민들을 잘 부탁합니다, 최종혁 씨. 그리고 언제 술 한잔합시다."

이젠 개인적인 호기심을 참을 수가 없다.

박노형 대통령은 그때를 고대하며 피식피식 웃었다.

벌컥!

"또 담배 피워요?! 오늘 몇 대 피웠어요?!"

화들짝!

"아뇨, 여보님. 이게 오후 첫 담배예요. 정말입니다."

설렘이 담긴 담배 연기가 빠르게 흩어졌다.

* * *

우봉리 주민들과의 대화 창구를 다시 연 정부! 그 결과는?

박노형 대통령, 더 이상의 합의는 없다! 곧바로 진압 강행!

철컥!

우정경 신부의 양손에 싸늘한 수갑이 채워진다.

"우정경 씨, 당신을 폭행 사주 및 재물 손괴 혐의로 체포합니다. 당신은 불리한 진술을 거부할 권리가 있고, 변호사를 선임할 수 있으며, 체포구속 적부심을 청구할 수 있습니다. 이의 있습니까?"

"……없습니다."

"감사합니다."

담담히 웃는 우정경 신부의 모습에 고개를 숙인 종혁은 경찰에 의해 점거된 우봉 분교를 둘러봤다.

수갑을 찬 채 다행이라고 웃고 있는 시위대와 그런 그들을 안타까워하는 우봉리 주민들.

종혁은 얼굴을 와락 구겼다.

"이런 씨! 표정 관리 안 하지?!"

"하하, 옙!"

"충성, 충성."

"저 씨부럴."

"하하. 다들 혈기 넘칠 나이 아닙니까. 최 팀장님이 이해해 주시죠."

"됐습……."

"형사님!"

"형사 양반."

'아이고.'

슬그머니 나가려고 했는데 허사가 되고 말았다.

종혁은 몰려든 우봉리 주민들의 초롱초롱한 눈빛에 볼을 긁었다.

"제가 한 게 뭐 있다고 이렇게 몰려오세요. 전 그저 여러분들의 말씀을 위로······."

"고마워요, 형사 양반."

갑작스레 손을 잡는 할머니의 행동에 종혁의 입이 다물어진다.

그녀뿐만이 아니다. 모두 종혁에게 허리를 숙인다.

"감사합니다!"

"고맙쯥니다, 경찰 아저찌!"

종혁 덕분이다. 종혁이 자신들의 진실한 속내를 끌어내줬기에 정부에서도 응답을 해 주었다.

홍익현이라는 사기꾼에게 이용을 당하지 않게 해 주었다.

이 은혜를 어찌 다 갚을 수 있을까. 가진 게 없어 인사밖에 할 수 없는 자신들의 무능력이 참 원망스럽고 미안할 뿐이다.

그런 그들의 진심에 종혁의 눈시울도 뜨거워진다.

"······이주하시는 곳에선 부디 잘 사세요. 다시 이런 일생기면 제게 연락하시고요. 괜히 저런 애들 불러서 또 이런 사달을 일으키지 마시고. 그럼."

여기에 더 있기가 힘들어진 종혁은 얼른 가자며 우정경신부의 팔을 살짝 잡아당겼고, 우정경 신부는 푸근히 웃으며 우봉리 주민들에게 고개를 숙였다.

"실례만 끼치다 갑니다. 앞으론 부디 행복하게 사십시오."

"신부님도 감사했습니다!"

"다음에 언제든 찾아오세요! 신부님도 저희 마을의 은 인이시니까요!"

"한총련 처녀총각들도 마찬가지야! 언제든 놀러 와!"

주민들의 따뜻한 배웅에 순간 눈시울이 붉어지는 시위 대들.

우봉리에 도착해 지금까지 겪은 많은 순간들이 주마등 처럼 그들의 머리를 스친다.

아마 이래서 시위를 관두지 못하는 것이리라.

이런 웃음을 지켜 주고 싶어서.

그들은 애써 눈물을 삼키며 웃어 주었다.

"네! 다음에 막걸리 들고 올게요!"

"안녕히 계세요!"

"잘 가! 또 와!"

그들은 가슴을 펴며 발을 크게 내디뎠다.

"씨발, 대가리 안 숙이지? 왜? 아주 이겼다고 자랑을 하지?"

결과적으론 이들이 이긴 거다. 우봉리 주민들을 위해 시위를 했고, 좋은 협상 결과를 끌어왔으니까.

"크흠."

"에헤헤."

시위대는 다급히 고개를 숙였고, 혀를 찬 종혁은 우봉 분교 건물의 정문을 활짝 열어젖혔다.

그 순간.

"나, 나왔다!"

촤라라라!

기자들의 플래시 세례가 그들에게 쏟아진다.

"우정경 신부님! 한 말씀만 해 주시죠!"

"대통령이 원망스럽지 않습니까, 신부님!"

"홍익현 의원은 지금 어디에 있습니까!"

마치 먹잇감을 발견한 아귀처럼 사정없이 달려드는 기자들.

잠시 발을 멈춘 우정경 신부는 그런 그들을 주욱 둘러보곤 입을 열었다. 자신이 분란을 일으켰으니 마무리도 자신이 해야 됐다.

"그저 정부의 결정을 따를 뿐입니다. 제가 할 말은 여기까집니다. 부족한 저 때문에 고생 많으셨습니다. 그럼."

"……그게 무슨 뜻이십니까!"

"지금 포기하시는 겁니까!"

"신부님! 신부님-!"

"홍익현 의원은 대체 어디 있는 겁니까-!"

그렇게 기자들을 뚫고 주둔지에 도착해 이들을 이송할 버스 앞에 선 종혁은 우정경 신부에게 담배를 권했다.

"이런. 신부에게 담배를 권하시는 겁니까? 하느님께서 이놈 하실 텐데요?"

"정수리에서 담배 찌든 내 납니다, 신부님."

"······하하. 다른 건 다 참겠는데, 이놈은 도저히 끊지
못하겠더군요."

찰칵! 치이익!

잠시 하늘을 보며 당분간 맛보지 못할 담배를 음미한
우정경 신부는 갑자기 종혁에게 고개를 숙였다.

"덕분에 참 많은 걸 깨닫게 됐습니다."

그저 무작정 돕는 것만이 능사가 아님을 종혁을 통해
깨달았다.

어리지만 참 본받고 싶은 사람이었다.

그리고 이런 사람이 경찰이어서 참 감사했다.

"하지만 이제 어떻게 해야 할지 알게 됐으니 앞으로 각
오 단단히 하는 게 좋을 겁니다."

"끙. 이번과 같은 일을 계속하시겠다는 거군요."

"이 나라엔 저처럼 모자란 사람의 도움이라도 간절히
바라는 분들이 많으니까요. 그런 분들이 없어지기 전까
지 전 그분들의 편에서 설 겁니다. 그게 성직자로서 제가
할 일 아니겠습니까."

"저도요!"

"나도!"

"다음엔 호락호락하지 않을걸?!"

"호락호락 나와."

웃음을 터트린 시위대는 재빨리 경찰 버스에 올랐고,
종혁은 어쩔 수 없다는 듯 고개를 저으며 우정경 신부의
등을 떠밀었다.

"죗값을 다 치르신 후에 뵙겠습니다. 그때 술 한잔하시죠."

"허허. 이거 최 팀장님은 속일 수가 없습니다. 하느님만 아시던 일인데…… 예, 그때 봅시다. 그럼."

고개를 숙인 우정경 신부는 경찰 버스에 올랐고, 종혁은 그제야 담배를 물며 우정경 신부처럼 맑은 하늘을 바라보았다.

'저분이 아니었다면 우봉리도 목소리를 높이지 못했겠지.'

우정경 신부와 한총련 덕분에 전 국민이 우봉리의 일을 알게 됐다. 단 한 명의 억울한 피해자를 만들지 말라는 말을 가슴에 품고 사는 한 명의 경찰로서 참 감사하고 존경할 만한 일이었다.

그러나 거기까지다.

어찌 됐든 저들은 흉기를 휘두른 범죄자였고, 경찰인 종혁으로선 그것을 옹호할 수가 없다.

다 피운 담배를 던진 종혁은 돌아섰다.

"자, 그럼 나도 이제 가 볼까?"

정부의 재협상이 시작되자 슬그머니 내뺀 홍익현 의원의 보좌관이 본청에서 기다리고 있었다.

사건은 아직 마무리되지 않았다.

2장. 다시 중경으로

다시 중경으로

뻐엉!

"내 왔데이-!"

특별수사팀의 사무실을 박차고 들어온 강철선 검사는
냅다 종혁을 향해 주먹을 내질렀다.

"웃차!"

자료를 정리하다 그의 등장에 일어섰던 종혁은 그럴 줄
알았다는 듯 몸을 피했고, 강철선은 고개를 뻐딱하게 기
울였다.

"피해?"

"하하. 오셨어요?"

"오셨어요? 오셨어요? 마-! 니 안 되겠다. 이리 온나.
이리 안 오나?"

"가면 때릴 거잖습니까."

"그걸 이제 알았나! 니캉 내캉 오늘 끝을 내자! 이 문디 자슥아—!"

종혁은 다급히 몸을 날렸고, 사무실에 잠시 동안 추격 전이 벌어졌다. 다른 팀의 팀원들은 그런 그들을 멍하니 쳐다봤다.

그렇게 한참 동안 투덕거리던 그들의 다툼은 강철선의 먼저 체력이 떨어지면서 끝을 맺었다.

"헥헥. 이 문디 자슥. 니 정숙 씨가 얼마나 무서워했는 지 아나!"

종혁의 표정이 순간 굳는다.

"……알죠."

회귀 후 처음 보는 초췌한 모습.

다 죽어 가는 환자의 그것처럼 힘이 빠진 어머니의 모습에 종혁은 무릎부터 꿇고 빌었다.

"……알믄 됐다. 어디 다친 곳은 없제?"

"없습니다."

"그람 됐다. 그보다 아따 마 사무실 쥑이네!"

이게 형사 수사팀 사무실인지, 드라마 세트장인지 모를 만큼 고급스럽고 묵직하게 꾸며진 사무실.

"우에 갱찰이 부장검사인 나보다 사무실이 좋노."

"에이, 저희 사무실이 좋아 봤자 특수부 부장검사님 사무실만 하겠어요? 다시 한번 영전을 축하드립니다."

형사부 부장검사가 된 강철선은 고작 몇 년도 되지 않아 중앙지검의 첫째가는 꽃이라는 특수부 부장검사가 되었다.

그 권한이 대검 중수부에는 미치지 못하더라도 한 끗발 차이라는 특수부. 정말 엄청난 파격승진이라고 할 수 있었다.

강철선은 고개를 숙이는 종혁의 모습을 떨리는 눈으로 쳐다보다 피식 웃었다.

"병 주고 약 주는 기가? 됐다. 치아라."

솔직히 이번 정권이 끝나기 전에 특수부 부장이 될 거라곤 예상했다. 그동안 종혁이 계속 대형 사건을 물어다 준 덕분이다. 다만 이렇게 빨리 승진을 할 거라곤 예상치 못했을 뿐이었다.

"승진 축하주는 날 잡아서 하자. 할 말도 많고."

마음 같아선 지금 당장이라도 종혁을 끌어안고 고맙다 외치고 싶지만 보는 눈이 많다.

드러나지 않을수록 더 빛을 발하는 종혁. 괜한 벌레가 꼬이는 건 막아야 했다.

그런 강철선의 마음을 알아차렸다는 듯 종혁의 눈이 호선을 그리자 헛기침을 한 그는 한쪽의 유치장을 보며 낯빛을 굳혔다.

"점마들이가?"

자기들이 잘못한 건 아는지 고개를 푹 숙이고 있는 놈들.

"예, 쟤들입니다. 더 없고요."

"그럼 뭐하노. 얼른 포장 안 하고. 바쁘다."

어제 막 특별 인사이동으로 특수부 부장검사가 됐다.

인수인계조차 받지 못한 상황이었다.

"그래도 기초적인 조사는 해야죠. 물어볼 것도 있고요."

"물어볼 거?"

"네. 물어볼 거."

고개 숙인 보좌관의 정수리를 보는 종혁의 눈빛이 차갑
게 가라앉았다.

취조실, 지난 이틀간 씻지 못한 것인지 보좌관의 몰골
이 꾀죄죄하다.

벌컥!

"이거 고아한 일을 하시던 분께서 유치장에서 먹는 밥
이 입에 맞으셨을지 모르겠습니다. 나름 장사 잘되는 집
으로 시켜 줬는데."

"……다 제가 저지른 짓입니다. 의원님은 아무것도 모
르십니다."

"예. 그래 보이더라고요. 자기 보좌관이 잡혀갔는데 면
회는커녕 전화 한 통 안 온 거 보니 그런 거 같습니다."

움찔!

"아, 맞아. 면회 불가였지, 참."

종혁에겐 전화가 안 왔지만, 상부로는 제법 전화가 왔
다고 한다. 그걸 쏙 빼먹은 종혁은 그의 맞은편에 앉으며
담배를 내밀었다.

"됐습니다."

"그럼 내가 피우지, 뭐."

담배를 문 종혁은 노트북을 켰다.

"자, 그럼 시작합시다. 이름 노경한. 나이 38세. 27살에 정치외교학과를 졸업하고 홍익현 의원 사무실에 입사. 32살에 홍익현 의원의 보좌관이…… 어이구, 젊은 나이에 보좌관이 되셨네. 여기까지 맞으세요?"

"……맞습니다."

"거 희한하네. 보통 10년쯤 밑에서 구르면 공천 같은 거 하나 주지 않아요?"

"개인적인 일은 물어보지 마시죠."

제법 날카로운 공격이었던 듯 대번에 날을 세운다.

히죽 웃은 종혁은 다시 조사한 자료를 살폈다.

"그런데 학창 시절에 특이한 이력이 있으시던데……."

일가족 자살 사건. 삶을 비관한 아비가 집에서 연탄불을 피운 사건이었고, 노경한은 그 사건의 유일한 생존자였다.

"경기고에 갈 만큼 머리가 좋았던 분이……."

쾅!

"개인적인 일입니다."

노경한은 감정을 억누르지 못한 채 매서운 눈길로 종혁을 쏘아보았다.

"법대로 처벌받을 테니 얼른 끝냅시다."

종혁은 당당한 그를 보며 눈을 가늘게 떴다.

"이봐요. 지금 상황 파악이 안 되나 본데, 이런다고 홍익현 의원이 당신을 보호해 줄 것 같아요? 천만에."

홍익현은 노경한에게 다 뒤집어씌울 거다. 아마 지금 그 작업을 하고 있을 터.

"이대로 법정에 서면 국회의원은커녕 시의원조차 되지 못한다고. 알아요?"

"경찰이 범죄자의 미래까지 신경 써 줄지 몰랐군요. 걱정 마십시오. 당신이 이렇게 걱정을 안 해도……."

"아니, 내 말은 그게 아니라 당신이 뒷주머니를 찬 걸 알아도 홍익현 의원이 봐주겠냐는 거야."

움찔!

"당신이 땅을 사들이는 데 쓴 12억, 이 돈 어디서 났어?"

노경한은 우봉리 땅을 사들이는 데 총 27억을 투자했다.

그중에서 15억은 홍익현의 차명 계좌에서 노경한의 차명 계좌로 이체된 금액.

문제는 출처가 불분명한 나머지 12억이었다.

우봉리 시위가 시작되기 전, 갑자기 몇 차례에 나뉘어 12억이 노경한의 차명 계좌로 입금되었다. 그것도 홍익현이 돈을 보내기 전에 말이다.

즉, 노경한은 홍익현보다 우봉리 시위에 대해 빨리 알고 있었다는 말이 된다.

심지어 CIA의 린치가 보내 준 자료에 의하면, 노경한이 12억을 투자해 구매한 땅은 공교롭게도 미군 기지 이전을 위해 반드시 필요한 노른자 중 노른자 땅이었다.

"당신이 시켜서 땅을 매입한 놈들은 27억이 전부 홍익현이 보낸 거라고 굳게 믿고 있던데 말이야."

거기다 홍익현과 노경한의 통화 목록 중 겹치는 게 있다.

물론 노경한이 홍익현의 보좌관이니 그럴 수 있다.

그런데 그게 정신 병원에 감금된 사람 명의의 대포폰이라면?

홍익현보다 노경한이 훨씬 이전부터 통화하던 상대라면?

어느 순간을 기점으로, 정확히 노경환이 보좌관을 됐을 시점부터 홍익현이 더 자주 통화하게 됐다면?

그리고 그 상대와 홍익현이 이충호들이 끌려가기 몇 시간 전에 통화를 했다면?

그 시간대가 이충호들이 목욕탕에서 전화하고 30분 후였다면?

마지막으로…….

'당신, 그 주먹질 어디서 배웠지?'

마치 선수의 그것을 연상시켰던 어퍼컷.

이거였다. 종혁이 노경한을 의심하게 된 계기가.

노경한이라는 인물 자체가 온통 미스터리였다.

"야, 누가 시켰어?"

'아니, 너 누구야? 너 혹시…… 그 조직이냐?'

종혁의 얼굴이 사납게 일그러졌다.

* * *

"이번에 경찰에 검거된 노경한 차장은 어떻게 합니까."

어린 나이에 인생을 비관하고 좋지 못한 결정을 내리고 가족을 따라가려 했던 노경한.

회사는 그를 입사시킨 후 대학교까지 무사히 졸업할 수 있도록 후원해 주었다.

이후 홍익현의 보좌관이 되어 회사에 제법 이득을 안겨 주었던 사원인데 안타깝게 이번에 검거되었다.

하필이면 또 최종혁에게 말이다.

"진짜 굿이라도 하든가 해야지, 원."

"은퇴시킵니까?"

"……됐어. 그러다간 홍익현과도 어그러져."

함부로 사람을 죽이는 곳과 그 누가 거래를 할까.

물론 홍익현은 이번 일로 인해서 그의 정치 인생은 끝이 날 가능성이 높았다.

하지만 국회의원이라는 간판이 사라지더라도 그가 지닌 재력과 인맥은 분명 쓸모가 있었다.

회사 입장에선 계속 끈을 이어 가는 게 이득이었다.

검거되었다지만 그로 인해 회사의 꼬리가 드러날 상황은 아니었다. 몇 년이면 나올 유능한 사원을 제거할 이유는 없었다.

"하지만 손해가 이만저만이 아닙니다."

미군이 이전할 기지의 중요 포인트를 알아내기 위해 로비를 하고, 땅을 매입하거나 명의를 바꾸는 등 많은 돈과 인력을 썼다.

단순히 발생할 차액만 노리고 한 일이 아니다. 이후 미군과 한국군 사이에서 얻을 이득까지 생각한 후 진행한 프로젝트다.

그 예상 수익까지 생각하면 회사가 본 손해는 무려 100억이 넘었다.

"징계조차 내리지 않는다면 말이 많아질 겁니다. 그럼 지부장님께도…….."

"내가 분명 됐다고 말하지 않았던가?"

"……죄송합니다."

"가 봐."

고개를 숙인 사원이 나가자 육십대 노인은 담배를 물었다.

"스으읍. 후우우."

뿌옇게 흐려지는 담배 연기 속에서 노경한의 얼굴이 비춰졌다.

지부장인 그가 과장일 적 직접 스카우트를 한 노경한.

장례를 치를 돈조차 없어 영안실 앞에 망연자실하여 앉아 있다가 차가 쌩쌩 달리는 차도로 향하던 까까머리 고등학생의 공허한 눈빛은 아직까지 잊을 수가 없다.

"……징계는 개뿔이."

실패를 했으면 징계를 받는 게 맞지만, 하필 일을 방해한 게 최종혁이다.

본사에서 평하길 한 번 냄새를 맡으면 끝까지 쫓는 굶주린 호랑이, 한 번 물면 결코 놓치지 않는 미친개.

그런데 러시아라는 보호자 때문에 건드릴 수조차 없는

씹새끼.

이건 뭐 거의 자연재해다.

그런 자연재해에 집이 날아갔다고 집주인을 욕할 순 없는 법이었다.

'그래도 강등은 시켜야겠지. 내년에 본사 차원에서 진행하는 거대 프로젝트에 투입시키려고 했건만…… 쯧.'

사원까지는 끌어내려야 다른 직원들도 납득을 할 터.

한 번 끌어내려진 직급을 다시 원상복구하기란 불가능에 가까운 회사의 특성상 그 정도는 해야 징계라고 볼 수 있을 것이다.

하지만 문제가 있다.

본사도 그렇게 판단하냐는 것이다. 자칫 신체적인 징계가 내려질 수도 있었다.

앞으로 해야 될 일이 많은 노경한이 병신이 되는 꼴은 볼 수 없었다.

그는 전화기를 들었다.

"어, 본사요? 나 대전 지부장인데…….."

-아, 마침 잘 전화하셨습니다. 혹시 홍익현 의원에게 뭐 들으신 거 없습니까?

"없소만?"

-흠, 그렇습니까?

"무슨 일이오?"

-여의도 쪽으로 출장을 나간 사원들이 전하길 우봉리 주민들에게 어떤 혜택이 주어질 거라더군요. 어차피 밝

혀질 일이니 먼저 알려 드리는 겁니다.

'……한총련이 해냈다?'

순간 대략적인 상황 파악을 끝낸 지부장은 빠르게 머리
를 굴렸다.

"안 그래도 그것 때문에 연락했소. 이번에 검거된 노경
한 차장이 우봉리에 투입되기 전에 말하길 이번 프로젝
트가 잘 된다면 시민 단체를 이용해 보는 게 어떻겠냐는
말을 했는데……."

─후원금 편취와 여론몰이 말입니까?

"중수부장이 중앙지검장이 된 지 몇 년째요? 요새 중수
부에서 후원 단체들을 쪼는 게 좀 뜸해졌잖다는 이야기
가 있던데……."

─흠. 그 부분은 제가 판단할 수 있는 게 아니군요. 대
전 지부에서 정식으로 안건을 올려 보시죠.

'됐다.'

이 안건을 노경한의 이름으로 올린다면 신체적인 징계
는 피할 수 있을 것이다. 그것이면 족했다.

"그럽시다. 아, 그리고 노경한 차장을 대신할 사원 좀
보내 주시오. 보아하니 부산 지부나 충주 지부에 인력이
많은 것 같던데……."

─그 내용은 인사과에 전달하도록 하겠습니다.

"고맙소. 마지막으로 용한 무당 찾아서 굿이나 좀 합시
다. 최종혁 이 새끼랑 전생에 얽혀도 정말 더럽게 얽힌
것 같으니!"

이 모든 일의 원흉 최종혁.

정말 이가 갈리고 치가 떨리는 놈이었다.

한편 그 시각 서울 모처의 한정식집.

현몽준과 검찰총장이 은밀한 회동을 가졌다.

"어서 오십시오. 이렇게 와 주셔서 감사합니다, 총장
님."

"어떤 분의 부름인데 당연히 와야지요."

악수를 나눈 둘은 서로를 가만히 응시했다.

'현몽준 당대표.'

'검찰총장.'

한쪽은 종혁과 긴밀한 관계를 맺고 있는 강철선 검사를
중앙지검으로 끌어올린 검찰총장이고, 다른 쪽은 종혁과
긴밀한 관계를 맺고 있는 걸로 추정되는 여당의 대표다.

참으로 공교로운 우연이 아닐 수 없었다.

"공사다망하신 분을 어렵사리 모셨으니 바로 본론으로
들어갈까 합니다. 그래도 되겠습니까?"

"……이거 당대표님 성격이 이렇게 급하신지 몰랐습니
다."

"그래야 식사를 맛있게 할 수 있지 않겠습니까."

"그럽시다."

자리에 앉은 현몽준은 검찰총장의 잔에 녹차가 담긴 주
전자를 기울이며 입을 열었다.

"이번에 홍익현이라고 못된 미꾸라지 한 마리가 정부

의 일에 분탕을 친 일을 아실 겁니다."

그 말에 검찰총장의 눈이 가늘어졌다.

'역시나 그런가.'

당이 달라도 같은 진보라고 비호를 하려는 것 같았다.

'최 팀장이 사람을 잘못 봤군.'

"홍익현 의원이 당대표님과……."

"그래서 그런데 대전은 어떠십니까?"

"……?"

"총장님이 정계에 입문하실 텃밭으로 말입니다. 이제
곧 총장직을 내려놓으셔야 할 텐데, 슬슬 차후 행보를 정
하셔야지 않겠습니까."

순간 검찰총장의 눈이 파르르 떨린다.

"이거…… 오늘 식사가 참 기대되는군요. 엽차 맛부터
이렇게 훌륭한데, 제대로 음미하려면 꽤 오랜 시간이 걸
릴 것 같습니다."

"우연이군요. 마침 저도 같은 생각을 하던 차였습니다."

둘은 서로를 보며 똑같은 미소를 지었다.

* * *

끝까지 입을 다문 노경한은 결국 특수부가 맡기로 하였
다.

놈들의 조직원인지에 대해 밝혀내진 못했지만, 종혁으
로선 아쉽지가 않았다.

일단 의혹이 생겼으니 강철선이라면 죽어라 파고들 터.

여기에 나탈리아도 따로 움직이기로 했다.

그러다 뭐라도 걸려들면 땡큐고, 아니라고 해도 상관없다. 어차피 노경한이 처벌받는 건 확정이니 말이다.

주범인 홍익현도 그의 차명 계좌가 드러난 이상, 국회에서 그의 체포동의안이 통과되는 건 시간문제였다.

우봉리 사건은 이제 종결이 났다고 봐도 무방했다.

'그럼 이제 남은 건 이놈들인데……'

종혁은 헬멧 위에 원산폭격 자세를 취한 채 끙끙거리는 이충호들을 보며 눈을 가늘게 떴다.

'진짜 너희를 어떡하면 좋을까.'

적일수록 더 가까이 두라는 어떤 영화의 대사처럼 옆에 둘 것인지, 아니면 나탈리아에게 넘겨서 조직의 정보를 캐낼 것인지.

둘 다 장단점이 있기에 갈등이 생겼다.

자신이 직접 곁에 두고 감시한다면 별다른 문제는 없겠지만…….

'이딴 새끼들이 경찰입네 하고 견장 달고 다니는 꼴을 보고도 내가 참을 수 있을까?'

아마 실수를 할 때마다 때려죽이지 않을까 싶었다.

그래서 데려가기가 꺼림칙하다.

그때였다.

"최 교관! 최 교관-!"

고개를 돌린 종혁은 이쪽을 향해 달려오는 다른 교관의

모습에 한숨을 내쉬었다.

"아니, 진짜 좋은 핸드폰 놔두고 왜 저러는지 몰라. 충성. 무슨 일이십니까?"

"학교장님이 찾으셔. 얼른 가 봐."

"학교장님이요?"

'또?'

종혁은 미간을 찌푸렸다.

* * *

"허허. 어서 와요, 어서 와. 최 팀장이 좋아하는 녹차도 준비해 놨어요."

'커피 좋아하는데.'

여기서 커피를 마시지 않는 이유는 하나다. 학교장이 내주는 커피가 지독히도 맛없는 싸구려 원두인 탓이다.

"충성. 부르셨습니까."

"그래요. 교관 생활에 어려움은 없죠? 교육생들은 잘 따르고요? 교관들과의 생활은 어때요? 최 교관이 이해해요. 현장에서 험하게 구른 사람들이 대부분이라서 많이 거칠 거예요."

학교장은 종혁의 손을 끌어와 손등을 두드리며 물었다.

'아, 이 인간 다 들었구나.'

종혁 자신이 잡혀가자 각국에서 온 연락 때문에 상부가

뒤집혔다는 걸 말이다.

호선을 그리는 욕심 그득한 눈이 이젠 우습지도 않았다.

"모두 잘 대해 주시고, 교육생들도 잘 따라 줍니다. 걱정하지 않으셔도 됩니다."

"내가 미안해요. 최 교관이 그렇게 잡혀가게 두지 말았어야 했는데. 다 내가 교관들을 잘못 관리한 탓이에요. 아니면 나라도 그 현장에 갔어야 했는데……."

갑작스런 사과에 의아했던 종혁은 되지도 않는 수작에 고개를 저으며 오히려 그의 손등을 두드렸다.

"아닙니다. 모두 학교장님의 잘 가르친 교육생들이 우봉 분교 밖에 있었기에 이렇게 무사히 나올 수 있었습니다. 정말 든든했습니다."

"그래요? 허허. 내가 뭘 잘 가르쳤다고."

'단순한 인간.'

"그럼 전 이만 가 봐도 되겠습니까? 교육생들이 기다려서 말입니다."

더 이상 귀가 썩는 소리를 듣고 싶지도 않거니와 가뜩이나 생각할 것이 많았다.

"아, 맞아. 최 교관, 그 폐급 문제아들에게 계속 그렇게 마음을 쓸 건가요?"

"……하실 말씀 있으십니까?"

"허허. 최 교관, 아니 최 팀장. 내가 최 팀장을 많이 아끼는 거 알죠?"

"예. 언제나 감사하고 있습니다."

"그래요? 허허허. 최 팀장이 그렇게 말해 주니 참 고맙군요. 그래서 나도 선물을 줄까 하는데…… 그런 폐급들 말고 최 교관에게 도움이 될 교육생들을 맡아 보는 건 어떻겠습니까? 듣자 하니 팀원이 많이 모자란 것 같던데."

순간 종혁은 눈을 빛냈다.

'그래, 이런 수가 있었구나.'

현재 의심이 가는 놈들을 몇몇 추려 내긴 했지만, 놈들이 과연 조직에서 보낸 놈들의 전부일까?

그럴 수도 있고, 아닐 수도 있다.

중요한 건 아닐 수도 있는 가능성이 있다는 거다.

종혁은 놈들이 경찰의 내부로 더 파고들 가능성을 일말이나 남겨 둘 생각이 없었다.

문제는 담당하고 있는 교육 시간 동안 학생들을 지켜보는 것만으로는 지금 이상의 단서를 얻기란 어렵다는 것이었다.

'이렇게 다른 자리까지 마련해 준다면 땡큐지.'

그동안 교육 시간 외에는 교육생들에게 접근하기가 쉽지 않았다. 종혁의 뒤끝 작렬 개싸가지 이미지 탓에 모든 교육생이 그를 기피한 탓이었다.

그렇다고 억지로 상황을 만들기엔 그가 그동안 쌓아올린 이미지와 너무 다른 탓에 놈들이 수상하게 여길 가능성이 있었다.

그래서 고민이 깊었는데, 학교장이 제법 좋은 명분을 마련해 주었다.

대한민국의 경찰을 양성하는 중앙경찰학교.

그렇다. 여기는 학교다.

교육생이 궁금한 게 있고 더 배우고 싶어서 교관실의 문을 두드린다면, 교관으로선 응당 응해 줘야 하는 게 맞다.

'그래. 두드리게 만들어야지. 거참, 이 양반이 이렇게 도움이 될 때도 있네.'

그렇다고 한들 아웃이지만 말이다.

이번 발언으로 더 확실해졌다.

'당신, 경찰 조직에서도 아웃이어야겠어.'

개인의 영달을 위해 조직의 시스템을 함부로 손대려는 놈은 경찰에 필요 없었다.

물론, 주어진 기회는 잘 써먹겠지만 말이다.

"음. 일단 생각해 보겠습니다. 더 하실 말씀이 없으시다면 이만 일어나 보겠습니다. 충성."

거수경례를 한 종혁이 문을 닫고 나가자 학교장은 흐뭇이 웃으며 찻물을 홀짝였다.

"허허. 역시 아직 어리구만."

뭐가 본인에게 이로운 일인지 모르는 걸 보면 그런 것 같다.

그럼 가르쳐 줘야 했다. 그리고 그런 걸 가르치는 건 먼저 그런 걸 겪어 본 학교장 본인 같은 어른의 몫이다.

"분명 내게 고마워할 겁니다, 최 팀장."

학교장은 의미심장한 미소를 지었다.

한편 학교장실을 나선 종혁은 문을 보며 피식 웃었다.

'뻔히 보인다, 보여.'

학교장은 종혁 본인이 승낙하지 않더라도 그가 제안했던 대로 우수한 교육생들을 선별하여 종혁에게 보낼 거다.

그런 인간들은 자신이 좋다고 생각하는 일이라면 다른 사람도 좋아할 거라고 생각하니까.

정말 구역질나는 족속이지만 이번만큼은 고마웠다.

"핫! 충성!"

"아, 안녕하십니까! 교관님!"

"응, 그래. 밥 먹으러 가냐?"

땀 냄새가 아니라 은은한 화장품 냄새를 풍기는 여자 교육생들.

"네! 교관님은 드셨어요? 아, 안 드셨으면 같이 먹어요!"

큰 용기를 낸 듯 작은 주먹을 꽉 쥔 모습이 귀엽기만 하다.

"됐다. 그 또라이들 족쳐야 해서."

"아……."

아쉬우면서도 누군가를 향한 분노를 불태우던 여자 교육생들은 이내 체념을 하였다.

"네. 식사 맛있게 하세요. 그, 그리고 이거요! 충성!"

"저도요! 여기요! 충성!"

"응? 어. 충성."

종혁은 '까 줬다' 하며 멀어지는 여자 교육생들과 손에 쥐어진 초코바를 보며 볼을 긁적였다.

"뭐야, 나 왜 인기가 좋지? ……아, 그래서구나."

이충호들을 구한 게 아무래도 이미지 변환을 시킨 것 같다.

뒤끝 작렬 개싸가지에서, 위험에 처한 사람을 서슴없이 구하는 용감한 개싸가지로 말이다.

'어쩐지 표정이 묘하게 변했다 싶더니만.'

별로 신경을 쓰지 않았는데, 이러면 말이 좀 달라진다.

'이러면 평상시에도 접근해 볼 수 있겠는데?'

학교장이 자리를 마련해 준 덕분에 상위권 교육생들과는 추가적으로 시간을 가질 수 있게 됐지만, 여전히 문제는 남아 있었다.

조직이 심어 놓은 놈들이 반드시 상위권에 속해 있으리라는 보장은 없다는 점이었다.

그런데 방금 전 여자 교육생들의 반응으로 미루어 판단하건대 앞으로는 평상시에도 자연스럽게 접근해서 교육생들을 떠볼 수 있을 듯했다.

고개를 주억이던 종혁은 문득 무언가를 떠올리곤 핸드폰을 들었다.

"예, 사장님. 납니다. 중앙경찰학교 학교장 뒷조사 가능합니까?"

치우려고 마음먹은 이상 빨리 치워 버려야 했다.

종혁의 눈빛이 차갑게 가라앉던 그때였다.

"최 팀장!"

"충성. 무슨 일이십니까."

"학교장님이랑 용무는 다 끝난 거야?"

"네, 방금 전에 이야기 다 끝마치고 나왔습니다."

"그래? 그럼 지금 시간 되지?"

"예, 뭐 괜찮습니다."

안 그래도 이 교관에게 볼일이 있었다.

"잘됐네! 그럼 나랑 어디 좀 가자. 빨리."

"어? 어?"

종혁은 의아해하면서도 일단 끌려가 주었다.

그렇게 도착한 곳은 매점이었는데 몇 명의 교관들이 더 있었다.

'음? 이분들은?'

교육생들의 1차 교육이 끝나면 현장으로의 복귀가 예정된 이들이다.

"여, 최 팀장. 얼굴 보기 힘들어?"

"후유증은 없지?"

봄날 따뜻한 햇볕 때문인지 나른하게 늘어진 그들의 모습에 종혁도 웃었다.

옛날의 오택수처럼 하도 여기저기 물어 대서 써 줄 곳이라곤 파출소밖에 없거나 파출소로 좌천되기 바로 직전이라 성질 좀 죽이고 오라는 의미로 중경에 보내진 미친 개들.

여차하면 이빨을 주저 없이 드러내기에 중경 교관들도

좋아하지 않는 이들이다.

'이분들이 왜?'

자신을 부른 것도 이해가 안 되는데, 이렇게 반갑게 맞이해 주는 것은 더 이해가 안 된다.

'여태껏 날 쳐다보지도 않으셨던 분들인데? 흠, 이분들도 그것 때문인가?'

교육생들처럼 이들의 인식도 변화한 것 같다.

잘됐다. 자신을 이곳으로 데리고 온 교관뿐만 아니라 이들에게도, 아니 교관 전부에게 물어볼 게 있었기 때문이다.

'내가 교육생들의 목숨줄을 쥐고 난 후 달라진 놈들이 누구인지.'

성적표 등의 서류 따위로 알 수 없는 변화가 생긴 이들.

교육이 시작 됐을 때부터 이곳에 있었던 이들 교관이라면 그런 특이점이 생긴 교육생들을 알고 있을 수도 있었다.

그런 이들이 있다면 무조건 검토해 봐야 했다.

"죄송합니다. 인사를 드린다 드린다 했는데 늦었습니다. 충성. 최종혁 경정입니다."

"알지. 본청의 불도저를 왜 몰라."

"이제 곧 안 볼 사람들끼리 인사는 무슨. 앉아, 앉아."

"감사합니다. 하하."

빈자리에 앉아 그들이 건넨 캔커피를 한 모금 들이켠 종혁은 어깨를 축 늘어트리며 숨을 길게 내쉬었다.

"하아."

이제야 썩어 가던 눈과 귀가 정화되는 것 같다.

'역시 난 이런 양반들이 체질에 맞아.'

그러니 이렇게 편안해지는 게 아니겠는가.

그의 입가엔 나른한 미소가 번졌고, 그걸 본 교관들은 눈을 빛냈다.

'본청의 불도저.'

솔직히 처음엔 믿기지도 않고, 믿고 싶은 마음도 없었다.

경찰 역사상 유례없는 진급 속도에 명품 시계나 차고 다니는 젊은 놈. 직접 보지 않아도 견적이 나왔기 때문이다.

그랬는데 이번 우봉리 사건 때문에 생각이 바뀌게 됐다. 교육생들을 대신해 잡혀간 것도 모자라 종혁 한 명을 구하기 위해 경찰대 동기들이 전원 모였다.

편견은 깨질 수밖에 없었다.

그래서 사과하고자 부른 거다.

"큭큭. 그 능구렁이 양반 때문에 욕봤어. 그 양반이 뭐래?"

"그건…… 음."

잠시 고민한 종혁은 털어놓기로 했다.

'이분들의 도움이 필요하긴 해.'

무려 치안감을 쳐내는 일이다. 여론 형성은 필수였다.

경찰이 왜 아무나 물어뜯는 이런 미친개들을 내쫓지 않

겠는가. 바로 진솔되기 때문이다.

사고뭉치 골칫덩이들이지만, 인간적으론 믿을 수 있는 이들. 이런 부류의 말은 가끔 굉장한 영향력을 가진다.

'이용하는 것 같아서 좀 미안하지만…….'

"뭐야?!"

"이런 씨발? 학교장 새끼 선 넘네? 그래서?"

"일단 생각해 보겠다고 했습니다."

"뭐라고?"

"왜 그러십니까? 찾아오는 교육생들을 지도하는 건 저희 교관이 할 일 아닙니까?"

"아니, 맞는 말이긴 한데……."

종혁은 어떻게 설명을 해야 할지 몰라 답답해 가슴을 치는 그들의 모습에 피식 웃었다.

"걱정 마십시오. 특별 대우를 할 생각은 없으니까."

버틸 놈은 버티는 거고, 아닌 놈은 아닌 거다.

"뭐? 지금처럼 하겠다고?"

순간 교관들의 눈빛이 변한다.

종혁이 생각처럼 순수한 게 아니란 걸 알아차린 거다.

"……그러네. 씨발, 팀장은 아무나 다는 게 아니지."

"그것도 본청 팀장이잖아."

키득 웃은 종혁은 입을 열었다.

"그런데 전 왜 부르신 겁니까?"

교관들의 표정이 묘해진다.

"……우리도 그 이야기를 하려고 모였거든."

"우리가 이제 곧 현장에 복귀하잖아. 그래서 쓸 만한 놈 있나 입 좀 맞춰 보려고 모였지."

종혁은 고개를 끄덕였다.

이들이 있는 곳은, 또 있어야 할 곳은 현장이다.

언제나 인력이 부족한 현장.

한 사람 몫이라도 해 줄 놈이 오지 않으면 고달픈 건 바로 현장에서 고생하는 이들 경찰이고, 경찰의 도움을 간절히 바라는 피해자였다.

'그러니 서로 의 상하지 않게 협상을 하자는 거겠지.'

이들의 이런 생각은 참 칭찬해 줄 만했다.

"뭐 검증 안 된 애새끼들이지만, 그래도 똘똘하고 악바리 있는 놈들이어야 가르치기 편하지 않겠어?"

그런데 문제가 있다. 이들이 중경에서 예쁨을 받는 존재가 아니라는 점이다.

교육생들부터 싫어하는 그들.

지목을 하기도 힘들거니와 지목을 해도 교육생들은 결코 그들을 따라 나서지 않을 거다.

부럽다는 듯 종혁을 힐끔 본 그들은 이내 혀를 찼다.

"몰라, 씨발. 안 주면 드러누워야지. 드러눕는데 자기가 어쩔 거야?"

"그럼. 곧 현장에 복귀하는 경찰이 원한다는데 그걸 말려? 그건 다른 꿍꿍이가 있단 소리지."

'아이고, 이 대책 없는 사람들아.'

거기다 어디 이들만 경찰인가.

똑똑한 악바리는 모든 경찰이 바라는 인재다. 즉, 상위 성적권의 교육생들은 이미 다른 사람이 침 발라 놨다고 봐야 했다.

'흠, 이거?'

종혁은 눈을 빛냈다. 아무래도 이들에게 질 빚을 갚을 방도가 생긴 것 같다.

"혹시 굿 캅 베드 캅은 어떠십니까?"

"굿 캅 베드 캅? 갑자기 그 말을 왜······."

의아해하다 입을 다문 교관들의 입가에도 종혁과 똑같은 미소를 피어난다.

"이야, 애새끼들 검증은 검증대로 하면서 우리에게도 기회를 주겠다? 왜?"

구박만 받아 왔던 그들의 눈에 반사적으로 경계심이 어리자 종혁은 어깨를 으쓱였다.

"저 밥 사 주시려고 부른 거 아니셨습니까?"

"······하!"

어이없다는 듯 웃은 그들은 동시에 몸을 일으켜 종혁에게 고개를 숙였다.

"미안하다! 우리가 그동안 오해를 했다!"

"예? 오해요? 무슨 말인지 모르겠습니다만······."

종혁이 천연덕스럽게 반응하자 그들은 혀를 내둘렀다. 베테랑인 그들조차도 분간할 수 없는 연기.

"크. 이래서 팀장인가?"

"학교장한테 전달하는 건 나한테 맡겨. 학교장 똥꼬 빠는 새끼 몇 놈 아니까. 흘리듯 쪽지 보여 주면 되겠지!"

"자, 이제 서로가 찍은 교육생들 말해 보자고!"

역시 이래서 베테랑들이 좋다.

일이 팍팍 진행되니 말이다.

"눈에 밟히는 놈들은 싹 다 말해 주십시오. 제가 검증해 드릴 테니 말입니다."

아무래도 대화가 좀 길어질 것 같았다.

*　*　*

이틀 후, 운동장으로 온 종혁은 입술을 비틀었다.

우글우글.

이충호들 옆으로 교육생들이 한 무더기다.

본래 성적이 상위권이었거나 종혁이 중경에 온 이후 갑자기 성적인 반등한 이들.

요컨대 현재 우수한 성적을 보이는, 각 교관들이 눈여겨보는 교육생들이었다.

그리고 종혁이 회사라는 조직의 조직원이 아닌지 지켜보는 이들이기도 했다.

그 숫자가 무려 40명.

학교장이 종혁에게 보낸 이들 전원이 뜻을 함께한 교관들이 언급했던 이들로만 구성되어 있었다.

'있다면 이들 중 있을 확률이 높겠지.'

경찰 내부에 조직원을 침투시키려는 놈들이다. 당연히

우수한 성적을 거두어 더욱 깊숙이 파고들려 할 터.

더 숨어 있다면 이들 중 있을 확률이 매우 높았다.

설령 없어도 상관없었다. 아니, 오히려 좋았다.

한 명이라도 더 우수한 이들이 경찰의 미래가 되어 줄 테니 말이다.

그리고 어쩌면 팀원으로 써먹을 만한 놈도 있을 터.

"전체 차렷! 최종혁 교관님께 대하여……."

"됐고. 뭐냐, 너희들은?"

"그, 그게……."

그들도 당황스럽다.

갑자기 학교장님이 자신들을 한 명씩 부르더니 이곳으로 보냈기 때문이다.

그러면서 은밀하게 흘린 말이 하나 있긴 하다.

'1차 교육이 끝날 때까지 이 인간 밑에서 버틴다면 원하는 곳으로 보내 준다고 했어!'

또 그러면서 이런 말도 했다.

'이 머저리들은 체벌을 받는 게 아니라고도 했지?'

본청 수사팀의 팀장인 종혁이 후에 팀원으로 데려가기 위해 직접 다듬는 거라고 했다.

그렇다면 이건 기회다.

본청에서 일할 기회.

"진짜 씨발 이게 뭐하자는 짓인지……. 야, 다들 꺼져. 정다현, 이충호. 대형 잡아."

"대, 대형 잡아!"

다급히 스크럼을 짠 채 방패를 세우며 중심을 낮추는 정다현과 이충호. 종혁은 그 위에 학교장의 얼굴을 투영시켰다.

"에라이, 씨발 것아—!"

생각대로 움직여 준 건 움직여 준 거고, 이건 이거다.

종혁은 방패를 향해 발을 내질렀다.

꽈아앙!

"크흡!"

"큭!"

"오, 씨발 버티네? 그럼 그때도 버텨 보지 그랬냐, 이 덩치가 아까운 새끼야!"

꽈아앙! 꽈아앙! 꽝!

"아악!"

"그래, 또 못 견딘다 이거지? 진짜 이 폐급 새끼들을 어떡하면 좋지, 씨발? 전원 하이바 위에 대가리 박고 물구나무선다. 실시."

"시, 실시!"

이충호의 조뿐만 아니라 다른 조원들까지 얼른 자세를 취했다.

"지금부터 5분 동안 그 자세 유지 못하면 오늘 진짜 날 잡는 거다. 씨발, 좆같으면 퇴소해. 안 말려."

종혁은 하얗게 질리다 못해 얼어붙어 있는 교육생들을 서늘히 노려봤다.

"아직도 안 꺼졌어? 왜? 너희도 애들처럼 나랑 놀게?"

'자, 이제 어떻게 할 거냐.'

종혁의 눈빛이 서늘하게 가라앉았다.

* * *

마른침이 목구멍을 타고 넘어간다.

'이걸 버티라고? 매일?'

1차 교육 기간은 앞으로 2주 이상 더 남아 있다.

"나, 난 포기하겠어."

"나, 나도…… 수, 수고하십시오!"

70퍼센트 이상의 교육생들이 돌아섰지만 종혁은 아쉬워하지 않았다.

종혁은 남은 이들을 둘러봤다. 마치 버틸 수 있다는 듯 당당하거나 어떻게든 버티겠다는 듯 간절한 표정들을 짓는 교육생들.

'12명이라…… 제법 줄었네.'

조직의 지령을 받고 온 놈들이 힘들다고 임무를 포기할 리는 없었다.

실제로 이충호는 지나칠 정도로 괴롭힘을 당하고도 포기하지 않고 중경에 붙어 있었기에, 종혁은 확신을 가질 수 있었다.

상위권 성적자들 중 조직의 놈들이 더 있다면 이들 12명 중에 있다고 봐야 했다.

종혁은 입술을 비틀었다.

그 순간이었다.

"에이, 씨발 못해 먹겠네!"

자리를 박차고 일어난 네 명이 눈을 부라린다.

종혁의 눈이 좁혀졌다.

"뭐하냐?"

종혁은 그렇게 말하면서도 때가 됐음을 알아차렸다.

이 불합리한 체벌에, 날이 갈수록 더 심해지는 체벌에 견디지 못할 일반인이 나올 때가.

"까짓거 퇴소하면 될 거 아냐, 씨발!"

"그래! 이제 우리도 민간인이거든?! 뒷골목에서 대가리 터졌다 하면 나니까 그렇게 아십시오! 카악, 퉤!"

종혁은 침을 뱉는 그들의 모습에 피식 웃었다.

그러곤 성큼성큼 걸어가 한 놈의 발목을 걸어찼다.

"크악!"

부우웅! 쿠웅!

"씨, 씨발! 이게 뭐하는……."

종혁은 입을 여는 놈의 멱살을 잡아끌어올렸다.

"협박죄로 수갑 찰래, 대가리 박을래."

"무, 무슨……."

"대체 그동안 뭘 배웠기에 형사 앞에서 입을 함부로 놀리면 안 된다는 것도 모를까? 니들이 깡패냐? 그쪽 출신이야? 정말 그렇게 대해 줘? 응?"

짜증과 분노로 번들거리는 종혁의 눈에 그들은 숨통이 탁 틀어막히는 걸 느꼈다.

"그, 그게⋯⋯."

"아가리 똑바로 안 씨불이지? 그리고 겨우 이 정도도 버티지 못하면서 경찰? 범인 검거? 시민 수호? 좆까, 새끼들아."

겨우 헬멧에 머리 박고 물구나무선 걸로 죽은 피해자가 살아 돌아올 수 있다면, 동료가 살아날 수만 있다면 24시간, 아니 1년이라도 설 수 있다.

그리고 하루에도 몇 번씩 이런 생각을 하게 되는 곳이 바로 현장이다.

겨우 이 정도도 버티지 못하면 그런 현장에 갈 자격조차 없는 것이었다.

"⋯⋯."

"하, 됐다. 씨발, 이런 새끼들이 뭐 예쁘다고⋯⋯. 야, 됐으니까 꺼져."

'이, 이렇게?'

뭔가 의미심장한 말에 일어선 교육생들의 눈이 흔들린다. 선택을 잘못한 건가 하는 후회가 그들의 뇌리를 스친다.

그러나 매정하게 놈을 밀친 종혁은 아직까지 헬멧 위에서 끙끙거리는 이충호들을 둘러봤다.

"전원 기상."

"기, 기상!"

다급히 일어난 그들의 눈에 묘한 감정이 서려 있었지만 종혁은 애써 무시했다.

"오후 타임은 여기까지. 씻고, 다음 수업 준비할 수 있도록."

"충성!"

혹여 종혁의 마음이 바뀔까 이충호들은 다급히 장구들을 정리하기 시작했고, 종혁은 자진 퇴소자와 용의자들을 뒤로하며 걸음을 옮겼다.

그러며 핸드폰을 들었다.

"예, 나탈리아 납니다. 이제 진행하죠."

이놈들을 모으게 되면서 급조한 계획.

하지만 확실한 계획이었다.

혐의점이 있는 유력한 용의자들이 모두 추려졌다.

이제 범인을 모두 색출할 차례였다.

* * *

쏴아아!

늦은 시간이라 그들만 있는 공용 샤워장.

"……씨발. 나도 그냥 포기할까?"

"야, 이제 겨우 2주 남았어. 설마 2차 교육까지 따라오겠냐? 딱 2주만 참자."

"……하, 그래. 참자, 참아. 씨발, 그래도 씻으니 좀 낫네."

그렇게 말했지만 파김치가 되어 샤워할 힘조차 없는 대다수의 교육생들은 대충 몸에 물만 끼얹고 돌아섰다.

그러나 이충호와 나머지는 아니었다. 어깨와 표정이 느

슨하게 늘어진 그들 넷.

"뭐야? 너희는 안 나가?"

"요새 너희 자주 어울린다? 정다현, 이충호. 화해했냐?"

"가라. 말할 힘도 없으니까."

"전우끼리 너무하네. ……씨발, 최 교관 개새끼."

전우란 단어에 가장 먼저 떠오르는 종혁.

이충호와 나머지도 얼굴을 와락 일그러트렸다.

"우린 먼저 갈 테니까 수업 늦지 않게 와라. 간다."

손을 저은 그들은 공용샤워장의 문이 닫히자 눈을 빛내며 입을 열었다.

"오늘 자진 퇴소를 한 놈들은 인턴이 아니라고 봐야겠지?"

"인턴이 상부의 지시를 어기다 못해 어깃장을 놓는다고?"

이충호의 말에 대답한 정다현의 표정이 싸늘하게 굳는다. 그건 오창진과 조정근도 마찬가지다.

인턴이 왜 인턴이겠는가. 파리 목숨이기에 인턴이다.

회사의 뜻에 한 번이라도 반하는 행동을 보인다면, 그날로 신뢰를 잃고 처분될 터였다.

그러한 곳임에도 이들이 헌신을 다하는 이유는, 그곳이 자신들의 삶을 구원해 주었기 때문이다.

세상이 버린 자신들을 구원해 준 회사를 위해서라면 얼마든지 목숨을 바칠 수 있었다.

"다른 인턴이 더 없어야 할 텐데……."

조정근의 읊조림에 그들의 낯빛이 흐려졌다.

만약 다른 인턴이 더 있고, 자신들의 모습을 모두 지켜보았다면 인사 평가가 처참해질 것이 분명했다.

그러면 이런저런 프로젝트를 진행하며 보너스가 팍팍 나오는 영업부가 아닌, 영업부를 지원하거나 뒤처리나 하는 지원부에서 회사 업무를 시작하게 될 수도 있었다.

영업부가 꽃이라면, 지원부는 거름.

회사를 위해서라면 무슨 일이든 할 수 있다지만, 편한 길을 냅두고 고생길을 걷고 싶은 사람은 없었다.

"알아볼까?"

"됐다. 괜히 그러다 은퇴당하기 싫다."

은퇴는 곧 죽음. 그들은 입을 다물었다.

"그런데 최 교관의 그 말은 뭘까?"

묘한 여운을 남겼던 말.

"……모르지. 그 새낀 그냥 개새끼야."

조직에서 여러 유형의 인간에 대해 교육을 받아 왔으나, 이런 인간은 정말 처음이었다.

'시발놈.'

특히 자신만 유독 더 괴롭히는 것 같아 짜증이 나지 않을 수 없었다.

정다현은 이를 가는 이충호를 빤히 바라보다 등을 툭 쳤다.

"욕본다."

"……!"

"왜?"

"아냐."

"싱겁기는. 그보다 어디로 배정될지 지령받은 사람?"

"글쎄? 일단 아버지가 충주로 이사를 할 거란 말은 하더라."

"어? 너도? 야, 나도."

"진짜?"

놀란 그들은 이내 생각에 잠겼다.

"흠. 충주에 뭐가 있는 건가."

"지금 생각해 봤자 의미 없지. 가서 확인해 보자고. 그럼 나가자. 더 씻다가는 몸 불겠다."

"그러자. 뭐해? 가자."

"……그래."

수도꼭지를 잠그며 돌아서는 정다현은 입술을 비틀었고, 이충호는 그런 정다현을 보며 떨리는 눈을 애써 가늘게 좁혔다.

한편 그 시각, 종혁은 학교장실을 찾았다.

마음대로 일을 진행해 버린 학교장에게 따지기 위해서다.

하지만…….

"학교장님께선 잠시 자리를 비우셨습니다."

"언제 오십니까? 왜 전화는 안 받으시고요."

"그건 저도 잘…….."

"학교장님의 스케줄을 꿰고 있어야 할 분께서 학교장님이 언제 돌아오실지 모른다라……."

이건 의도적으로 종혁을 만나지 않겠다는 소리다.

"무슨 일이십니까? 급한 용무가 있다면 제게 알려 주십시오."

"됐습니다."

콧방귀를 뀐 종혁은 몸을 돌렸고, 그런 그를 보던 삼십 대 중년인은 핸드폰을 들었다.

"예, 학교장님. 최 교관 방금 왔다 갔습니다. 제법 화가 난 것 같습니다."

ㅡ쯧쯧. 역시 어리구만, 어려.

그렇게 그들이 통화를 나눌 때 교무과에 도착한 종혁은 몇 장의 서류에 몇몇 교육생들의 이름을 적었다.

"이 친구들 본청 실습 가능합니까?"

"그건 말해 주지 못하지. 일단 참고하긴 할 건데……."

서류를 본 교무과 직원이 주위 눈치를 보며 목소리를 낮춘다.

"학교장님이 보낸 애들은 어쩌고?"

"……그건 묻지 말아 주십시오."

직원은 혀를 찼다.

"웬만하면 그냥 그러려니 하고 받아들여. 그게 최 교관에게도 좋을 거야."

"제가 알아서 하겠습니다. 그보다 특별 강의는 어디서 신청합니까?"

"특별 강의?"

"러시아 경찰 쪽 지인이 제가 교관이 됐다고 러시아 범죄수사에 대해 강의를 해 주고 싶다고 해서 말입니다. 원래는 경찰대에……."

"흡?!"

중앙경찰학교 역사상 다른 국가의 경찰이 와서 강의를 한 적이 있을까. 다른 직원들도 눈을 동그랗게 뜨며 종혁을 본다.

"혀, 현역이셔? 계급은?!"

"그게……."

종혁은 마치 신원이 밝혀지면 안 되는 사람이라는 듯 귓속말을 했고, 직원은 꼭 숨넘어가는 소리를 냈다.

"지, 진짜?"

끄덕.

"보안 유지 부탁드립니다."

"다, 당연하지! 알았어! 이건 내가 처리할게!"

"감사합니다. 그럼."

종혁은 격렬한 그의 반응에 싱긋 웃으며 돌아섰고, 다른 직원들은 방금 전까지 종혁과 이야기 나눈 직원에게 몰려들었다.

"뭐야. 뭔데."

"아, 뭔데요!"

"안 돼. 이건 교무과장님부터 아셔야 될 이야기야."

입을 꾹 다문 그는 다급히 교무과장을 찾았다.

이건 어떻게든 성사시켜야 할 일이었다.

*　*　*

이틀 후, 이제 슬슬 2차 교육을 떠날 시기이자 중앙경
찰학교를 잠시 벗어날 시기가 다가오자 교육생들도 어깨
에 힘이 빠지기 시작했다. 군대로 치면 훈련소 마지막 주
이기 때문이다.

그런 그들에게 경악스런 소식이 전해졌다.

"들었어? 오늘 러시아에서 범죄수사에 대해 특별 강의
를 하러 온다는 거?"

"당연히 들었지! 그거 최 교관님 때문이라잖아!"

그들로선 말로만 들은 나라, 러시아.

수사에 관한 수업 때 각국의 범죄 사례에 대해 배운 적
이 있는 그들이기에 당연히 기대가 될 수밖에 없다.

그런데 문제가 있다.

특별 강의를 들을 수 있는 정원이 고작 100명뿐이라는
것.

50명씩 하루 두 번.

"상위권에서 커트되겠지?"

"걔들뿐이겠어? 그 폐급들도 듣겠지."

"……하, 이럴 줄 알았으면 최 교관님께 잘해 드릴 걸."

그들은 부러움이 가득 담긴 눈으로 강의동을 응시했다.

"학교장님이 자리에 안 계셔서 일단 너희까지 참가시키긴 했는데……. 아니다. 너희한테 말해 뭐하냐. 가 봐."

"충성-!"

역시 기회를 잡길 잘했다. 그들은 희희낙락하며 몸을 돌렸다.

그때였다.

"최!"

복도를 울린 여성의 음성.

고개를 돌린 교육생들은 이쪽을 향해 다가온 금발 푸른 눈의 미녀가 종혁을 와락 끌어안고 양 볼에 입을 맞추자 눈을 부릅떴다.

'어머, 어머!'

'와, 씨발?!'

망측한 것도 망측한 거지만, 그보다 경악스러운 건 마치 이런 게 익숙하다는 듯 자연스럽게 인사를 받는 종혁의 모습이었다.

그들은 종혁이 정말 달라 보이기 시작했다.

"오랜만이에요, 최."

"오랜만이야, 올가. 오랜만입니다, 유리."

금반지에 금목걸이, 몇 개의 금니까지 전신을 화려하게 치장한 노인이 앞으로 나선다.

둘 다, 아니 둘 뒤에 있는 여덟 명까지 처음 보지만 오랜만이다.

"오-. 나의 최. 음아!"

종혁을 끌어안은 노인이 방금 전 여성처럼 양 볼에 진한 입맞춤을 한다.

"이게 얼마 만입니까, 최!"

"제가 경찰대 시절 연수 갔을 때 뵀으니까 거의 5년만이죠?"

"내가 얼마나 보고 싶었는지 최는 모를 겁니다. 그보다 이들입니까? 흠. 애송이들이군요."

"뭐, 그렇죠."

종혁은 못마땅한 표정을 지으며 교육생들을 봤다.

"인사해라. 유리 일리아노프 씨다. 러시아 내무본부 소속으로 몇 년 전 러시아의 어느 마피아 조직을 잠입 수사로 날려 버린 후 은퇴하신 분이다."

"헉!"

종혁의 현란한 러시아어에 혼이 빠져 있던 그들의 눈이 초롱초롱해진다.

"그렇다고 얼굴을 기억하진 마. 그 여파로 신분까지 바꾼 분이니까."

종혁은 그래서 특별강의 수강 인원을 제안했다는 말을 덧붙였다.

"여기 여성분은 유리 씨의 와이프 올가. 같이 잠입 수사를 하다가 눈 맞아 결혼. 나란히 은퇴했지. 뒤에 있는 까만 안경을 쓴 떡대들은 그냥 경호원. 재들은 신경 쓰지 마."

"와, 와이프요? 딸이 아니라요?"

"능력 있는 자가 미녀를 차지한다. 몰라?"

"……와."

상대적 박탈감이 남자 교육생들의 전신을 휩쓴다.

"그, 그럼 교관님과는 어떻게 알게 된 사이세요?"

"내가 전에 연수를…… 아, 인사 안 하냐?"

"아! 추, 충성!"

"Oh! во славу россии(러시아의 영광을 위해)!"

유리는 웃음을 터트렸고, 종혁은 교육생들을 향해 손을
저었다.

"들어가서 수업 준비나 해."

"추, 충성!"

교육생들이 아쉬워하며 강의실 안으로 들어가자 종혁
은 노인을 보며 미간을 좁혔다.

"너무 화려한 거 아닙니까?"

"그래야 제 얼굴을 제대로 기억 못하지 않겠습니까."

'그건 맞지.'

역시 나탈리아가 보낸 사람다웠다.

고개를 끄덕인 종혁은 손을 내밀었다.

"그럼 잘 부탁드립니다."

"얼마든지요."

노인의 금니가 햇빛에 반짝였다.

"В России много мафии."

"러시아엔 수많은 마피아가 있다."

유리가 말하면 종혁이 통역을 한다.

창가나 중간중간에 자리한 경호원들과 종혁의 러시아어에 정신을 차리지 못했던 교육생들도 본격적인 강의가 시작되자 어느새 깊게 집중하기 시작했다.

"이들의 소속을 구분하는 방법은 문신이다."

"지, 질문 있습니다!"

"마피아처럼 세계적으로 노는 범죄 단체도 국내에서만 겨우 노는 한국 깡패 새끼들처럼 문신으로 소속을 구분하는 게 정말 맞냐고?"

"예!"

"당연하지. 한국 깡패 새끼들이 그런 걸 어디서 배웠겠냐? 문신은 일종의 상징이다. 회사의 로고처럼 조직원에게 소속감을 주입시키는 징표."

흠칫!

찔리는 게 있는지 몇몇 이들의 몸이 미세하게 흔들린다.

느려진 시간 속 그들의 면면을 체크한 종혁은 다시 입을 열었다.

"이 징표로 인해 범죄 단체들은 미쳐 날뛸 수 있는 거다. 내 뒤에 수백, 수천의 조직원이 있으니까. 알았냐?"

"예!"

힘차게 대답한 교육생들이 다시 집중을 시작하자 종혁은 노인과 눈을 마주치며 고개를 끄덕였다.

이제 시작할 때가 된 것이다.

이제부터 반응하는 놈들이 그 조직의 놈들이었다.

"그중엔 한국과 밀수를 하는 마피아들도 있는데……
이 중 경상도나 강원도 출신?"

몇 명의 교육생들이 손을 든다.

"지금부터 나오는 사진들을 잘 봐 둬라. 러시아 내무본
부에서 최근에 정리한 거니까."

달칵!

화면이 바뀌며 털복숭이 두꺼운 팔뚝이 나타나자 다시
반응하는 이들이 있다.

방금 전과 달리 아주 격렬하게.

'그래, 많이 익숙하지?'

그 조직의 문신과 아주 흡사한 문신을 힐끗 본 종혁은
다시 말을 이어 갔다.

"너희가 순찰을 하다가 이런 문신을 한 놈이 있으면 지
체 없이 사수에게 보고를 해 경찰서에 지원 요청을 해라."

종혁은 눈동자가 파르르 흔들리는 이들을 머릿속에 담
으며 다시 리모컨을 눌렀다.

"함부로 덤볐다간 뒤질 테니까."

그 음성처럼 눈빛도 싸늘하게 가라앉았다.

그건 노인과 여성, 경호원들도 마찬가지였다.

* * *

늦은 오후, 두 번의 강의가 끝나고 교육생들이 모두 떠

난 강의실.

교재 정리를 명분으로 홀로 남은 종혁은 담배를 입에 문 채 창가에 섰다.

방금 전 나타난 학교장이 노인과 함께 걸으며 무언가를 쫑알거리고 있다.

ㅡ지치고 힘들 땐 내게 기대…….

"네, 나탈리아."

ㅡ검증 끝났어요, 최.

"그렇습니까?"

종혁은 그 조직의 것과 비슷하게 생긴 문신을 세 차례에 걸쳐 교육생들에게 보여 주었다.

한 번은 우연일 수 있지만, 두 번부터는 우연이라고 볼 수 없었다.

징표라는 단어에 반응한 것까지 합해 총 4번 반응을 보인 것도 모자라, 그렇게 반응을 보인 이들 전원이 강의가 끝나자마자 황급히 강의실을 빠져나갔는데 더 말해서 뭐 할까.

"많기도 하다, 씨발."

이충호 외 3명을 비롯해 총 14명.

정말 웃음밖에 안 나왔다.

ㅡ어떡할까요, 최?

"뭘 어떡해요. 치워 버려야지."

처음부터 이들에 대한 처분은 정해져 있었다.

불순한 의도를 가지고 순경이 되려는 이들이다. 그런

놈들이 경찰이 됐다간 애꿎은 피해자가 늘어날 수도 있었다.

경찰로서의 책임감도 정의감도 없는 놈들이 경찰이 되는 건 결코 용납할 수 없는 일이었다.

그는 저 멀리 기동대 복장을 한 채 운동장으로 모이는 이충호들을 응시하며 입술을 달싹였다.

"처음은 저놈들부터."

이충호, 정다현. 오창진, 조정근.

이틀 전 종혁이 학교장의 결정에 반발하듯 쓴, 본청으로 보내 달라고 교무과에서 쓴 이름이었다.

이제부터 저들은 SVR에 의해 한국에서 사라지게 될 것이다.

'개새끼들.'

종혁은 며칠 전 나탈리아가 보내 준 저들의 인적 사항, 아니 정확히는 범죄 정황이 적힌 서류를 구기며 돌아섰다.

* * *

한국의 어느 모처가 시끄럽다.

몇 시간 전 중앙경찰학교에서 전해져 온 소식 때문이다.

"알아보라는 건 어떻게 됐어?!"

"방금 전 연락이 왔는데, 정말 그런 조직들이 있다고 합니다! 생긴 지는 몇 년 안 됐다고 합니다! 주 활동 지역은 블라디보스토크와 아르툠이며, 세 조직의 보스가 서로 사촌지간이랍니다!"

"사촌?"

순간 사무실이 조용해진다.

"……유리 일리아노프는?"

"실제로 4년 전 은퇴를 한 경찰이 맞습니다. 본명은 미하일 고르초바. 나이 62세. 내무본부 소속 비밀경찰이며, 아나키 99라는 반정부 마피아 조직을 와해시켰다고 나옵니다. 그 사건 이후 경찰 대령으로 진급, 그리고 최종혁이 경찰대 소속으로 러시아에 연수를 갔을 당시 그의 멘토였던 걸로 확인됐습니다."

"올가는?"

"아무래도 러시아 정보국 FSB 소속인 것 같습니다."

올가에 대해선 아무것도 나오지 않는다. 본명도, 나이도, 소속도, 심지어 부모가 누군지까지 아무것도.

그녀가 마지막으로 있었던 부서도 없는 부서로 나왔다.

"서열 3위까지 올라가며 아나키 99을 와해시킨 미하일 고르초바는 그들의 비자금 중 일부를 획득했는데……."

"비슷한 시기 잠입한 올가를 미하일의 감시역으로 돌렸다는 거군. 아니면 애초부터 그럴 목적으로 미하일에게 붙였거나."

"현재로썬 그렇게 판단됩니다."

어디 경찰과 정보국이 서로 정보를 나누던가.

"개판이군. 역시 부정부패의 소련다워!"

밀레니엄 새천년이 시작된 지 무려 6년이나 지났는데도 중동도 아닌 러시아에 반정부 세력이 있는 것이 놀랍지만, 경찰이 거액을 착복했는데 아무런 조치를 취하지 않았다는 게 더 놀랍다.

부정부패 탓에 망한 나라다웠다.

박수를 친 사십대 중년인은 담배를 물며 눈빛을 가라앉혔다.

그런 그에게 삼십대 후반의 남성이 다가섰다.

"아무래도 회사의 로고가 노출된 것 같지 않습니까?"

"……그걸 이제 눈치챘다고?"

강원도의 연수원이 날아가고, 많은 수의 사원들이 잡혀간 순간 이미 로고는 이미 노출됐다고 봐야 했다.

그뿐만 아니라 세진은행 사건 때 디코이로 썼던 해커들을 제거하러 갔던 사원들도 SVR에게 끌려가지 않았던가.

그 많은 수의 사원들을 확보했는데도 SVR이 회사의 로고를 알아차리지 못한다? 그건 너무 낙관적인 생각이었다.

"그래서 로고를 은밀한 곳에 새기게 한 거잖아."

자살용 장신구도 사원용은 조직의 로고를 제거했고, 현재는 그것도 혹시 몰라서 새로운 디자인을 고르는 중이었다.

"요새 너 좀 그렇다? 다시 지부로 갈래?"

"그, 그게 아니라 이것도 SVR의 수작이 아닐까 해서 말입니다. 정부 요직 침투를 경계하는 건 정보부의 행동 강령 아닙니까."

부하 직원의 말은 그런 행동강령이 있기에 이쪽의 수를 짐작한 게 아니냐는 뜻.

"……그건 모르지."

SVR의 수작이라고 치부하기엔 증거가 너무 명확하다. 이번마저도 우연이라고 봐야 했다.

'그래. 우연이 참 많아.'

어느 순간부터 시작된 우연과 어그러지기 시작한 회사의 프로젝트들.

"최종혁은?"

"오늘도 이충호 인턴들을 괴롭히다가 1박 2일 휴가를 내고 미하일 고르초바와 함께 서울로 향했다고 합니다."

"특이 사항은 없고?"

"이충호 인턴들의 2학기 현장실습 장소로 본청을 택했다고 보고를 드렸습니다."

"아, 그랬지 참."

하루에 쏟아지는 업무량이 어마어마한지라 잠시 잊고 있었다.

'그렇다면 최종혁이 정말 아무것도 모른다는 확률이 더 높아진, 아니 이젠 확신을 해야 한다는 건데…….'

하지만 꺼림칙하다. 종혁이 회사의 일을 방해했을 때부터 계속.

그런데 고작 꺼림칙하다는 이유로 종혁을 제거하기엔 그 배후를 봐주는 놈들이 너무 위험했다.

제거를 한다면 어떻게든 무마할 수도 있겠지만, 만약 실패한다면?

그땐 종혁을 품은 러시아의 압박에 국정원, 검찰, 경찰 전부가 자신들을 쫓을 수 있었다.

"후. 일단 혹시 모르니까 중경에 파견된 인턴들 관리하는 사원들에게 활동을 중단하라는 공문 내리고, 전 지부에 알려서 중요 프로젝트를 제외한 프로젝트들은 현상 유지만 하라고 해."

부하 직원의 말처럼 SVR이 수작을 부리는것이라면 몸을 사릴 필요가 있었다.

'씨발, 그 러시아 년을 죽여 버렸으면 소원이 없겠네.'

하지만 그건 더 위험했다.

그땐 러시아가 전면으로 나서서 피의 보복을 감행할 거다. 러시아는, 아니 그가 기억하는 소련이라는 나라는 그런 나라였다.

엿 같고 개 같지만, 회사를 위해선 참아야 했다.

"관리 사원들에게 언제든 철수할 준비를 하라고도 전하고……. 음, 언론도 언제든 가동시킬 준비해."

"예."

가 보라는 듯 손을 저은 사십대 중년인은 다 타들어 간 담배의 마지막 한 모금을 들이마신 뒤 사원들을 향해 손뼉을 쳤다.

"자, 일하자! 부산 지부 쪽 진행 사항은 어떻게 됐어? 올라온 서류 없어? 충주 쪽은?"

"아, 예!"

"그리고 내년에 진행시킬 바이칼호 프로젝트는 어떻게 됐어? 왜 아직도 최종 수정본이 안 올라와?! 씨발, 일들 똑바로 안 할래!"

겉으로 보면 여느 회사와 다를 바가 없는 모습이었다.

* * *

시간이 흘러 어느덧 1차 교육이 종료하는 날이 왔다.

"와아아아아아!"

창살 없는 감옥이었던 시간이 모두 지나자 해방의 기쁨을 함성으로 표현하는 교육생들.

멀리 떨어진 곳에서 그들을 지켜보는 교관들의 입가에도 미소가 번진다.

"얼씨구? 쟤들 운다."

"쯧쯧쯧. 저놈들은 알까. 여기가 천국인 걸."

"알면 저렇게 기뻐하지 못하지."

이제부터 피가 튀고 시체가 굴러다니는 현장으로 가는 그들.

매일매일 터지는 고함과 비명에 피 말리는 지옥이 될 것이다.

이제 드디어 저 멍청이들과 안녕이라는 생각에 절로 후

련해지지만, 고작 4개월 배운 햇병아리들을 그런 지옥에 던져질 것을 생각하니 마음이 썩 좋지 못하다.

"최 팀장은 이제 본청으로 복귀한다고?"

"그동안 저 때문에 수고 많으셨습니다. 충성."

"수고는 무슨. 오다가다 만나면 인사나 하자고. 아, 그 때는 내가 먼저 인사해야겠네."

여기 있는 교관들 중 종혁보다 계급이 높은 이가 없었다.

"하하."

"뭘 벌써 헤어지는 것처럼 말합니까? 아직 정리할 것 많습니다."

"……망할. 가자, 가. 최 팀장, 가자고."

"아, 예."

오늘만큼은 아무 생각이 없는 건지 다른 교육생들과 얼 싸안고 방방 뛰는 이충호들을 바라보던 종혁은 다 피운 담배를 던지며 돌아섰다.

땅바닥에 떨어진 담배 불똥이 팍 하고 뛰었다가 싸늘히 식어 버렸다.

"건배!"

채재쟁!

"크으!"

종혁에게 찍힌 이후 처음 마시는 술에 행복의 고개짓을 하는 이충호, 정다현, 오창진, 조정근.

하지만 생각보다 기쁜 건 아무래도 1차 교육이 모두 끝났기 때문일 것이다.

이제 주말이 지나고 다음 주 월요일이 되면 현장실습장 소인 서울의 본청으로 갈 그들.

순간 분위기가 가라앉는다.

"솔직히 글렀다고 생각했는데 말이야."

"……나도."

종혁이 어떤 언질조차 하지 않아서 회사에서 보낸 두 번째 임무를 실패했다고 생각한 그들 넷.

하지만 이렇게 되면 아직 기회는 남아 있다고 봐야 했다.

"이거 학교장에게 선물이라도 보내야 하나?"

"엿이면 되려나?"

"울릉도 호박엿은 어때?"

학교장이 성적 상위권 학생들을 한곳에 불러모았을 때는 얼마나 식겁했는지 모른다.

혹여라도 다른 인턴이 있어서 자신들을 알아보기라도 할까 봐 온종일 긴장하며 지낼 수밖에 없었다.

하지만 그 덕분에 종혁이 자신의 의견을 듣지도 않고 일을 진행시킨 학교장에게 반발심을 품고 자신들을 택해 준 것이기에 전화위복이라 할 수 있었다.

"다른 인턴은 발견 못했지?"

"못했지. 창진이 넌?"

고개를 저은 오창진은 술을 들이켰고, 조정근은 눈을 가늘게 떴다.

"그런데 괜찮겠냐? 너 여기 충주로 주소지를 옮겼다며?"

"본청행을 거부 안 한 거 보면 몰라?"

중앙경찰학교에서 현장 실습 장소로 본청이 배정되는
건 역사상 처음 있는 일이었다. 원래는 모두 파출소나 경
찰서행이다.

본청으로 가게 된 것만으로도 상당한 고평가를 받을 수
있을 텐데, 종혁의 손발까지 될 수 있다면 회사에서 중요
하게 생각해 줄 터.

"그러니 은근슬쩍 수작 부리지 마, 조정근. 너도 원래
충주행 아니었나?"

……씨익.

그동안 경박함만 담겼던 조정근의 입가에 잔인한 살의
가 담긴다.

"우리 창진이 단어 선택이 재밌네."

"더 재밌게 해 줄까?"

탕!

젓가락이 테이블을 두드리는 소리에 그들은 정다현을
봤다.

"좋은 날이니 그냥 마시자."

"……쩝. 그래. 벌써부터 죽고 싶은 마음은 없으니까."

종혁의 밑으로 가는 게 확정됐는데, 여기서 사고를 쳐
서 퇴소가 된다? 조직은 제거조를 파견할 거다.

아쉬워한 조정근은 이충호를 봤다.

어느 순간부터 독기가 빠지기 시작한 이충호.

'이거 잘하면…….'

그 순간 조정근은 기겁하며 손을 들었다.

탁!

쥐어진 주먹 안에서 요동치는 쇠젓가락 하나.

"이 씨발……!"

"좆까, 시발아. 난 먼저 일어난다. 본청에서 보자."

"왜? 창진이 집이 근처니까 자고 가지!"

중지를 치켜세운 이충호는 뒤도 돌아보지 않고 자리를 떠났다.

그때, 멀리서 그런 그들을 지켜보던 SVR 요원은 핸드폰을 들었다.

"이충호 이동합니다."

* * *

일요일 아침, 문을 닫은 가게 안.

이충호의 어머니는 경찰 근무복을 입은 이충호의 양 어깨를 쓸어내렸다.

"가서 잘하고. 다치지 말고. 정식 임용만 되면 너도 이제 사원인거 알지?"

"걱정 마세요, 어머니. 저도 이제 다 컸어요."

"……우리 아들이 언제 이렇게 컸을까. 이젠 너무 커서 옛날처럼 품에 쏙 안을 수가 없네."

등을 토닥이는 작고 주름진 손에 순간 이충호의 눈시울이 붉어진다.

"······키워 주셔서 감사합니다, 어머니."

가슴으로 낳고 키워 준 어머니다.

이충호 인생에 부모란 이분밖에 없었다.

"잘 자라 줘서 고마워, 아들."

잠시 그들 모자 사이에 따스한 침묵이 감돈다.

"하이구, 늙으니 주책이지. 어서 가 봐. 버스 시간 늦겠다."

"서울에 도착하면 연락할게요."

이충호는 떨어지지 않는 발을 겨우 옮기며 시장을 빠져나갔고, 그의 어머니는 문 앞에서 가만히 지켜보다 돌아섰다.

스르륵! 탁!

가게 문을 닫자마자 소주를 꺼내 드는 그녀.

"후······."

영원히 못 볼 것이 아님에도 갑자기 텅 비어 버린 것 같은 가슴에 그녀는 술잔을 기울일 수밖에 없었다.

한 잔, 두 잔. 한 병, 두 병.

김치 쪼가리를 안주 삼아 취할 때까지 마신 그녀는 더 넓어져 버린 것 같아 낯설어진 가게 풍경에 더 이상 참지 못하고 일어섰다.

"어이구, 그만 마셔야지. 충호도 전화 준다고 했으니까."

그때였다.

스르륵! 탁!

"어휴, 죄송해요. 오늘은 장사······."

반사적으로 응대하던 그녀는 입을 다물었다.

가게 안으로 들어오는 검은 양복의 사내들과 아리따운 젊은 외국인 여인.

또각또각!

"우리가 누군지 알지?"

능숙한 한국어에 이충호의 어머니가 이를 악물던 그 순간이었다.

지이잉! 지이잉!

그녀는 테이블에서 맹렬히 울리는 핸드폰을 보며 눈을 부릅떴다.

'안 돼! 도망쳐, 충호야!'

한편 어머니의 간절한 외침을 듣지 못한 채 본청 근처 한 오피스텔 앞에 도착한 이충호는 헛웃음을 터트렸다.

한 동짜리 오피스텔임에도 때깔부터 다른 건물.

"이걸 숙소로 떡하니 내줬단 말이지?"

자기가 본청으로 불렀으니 숙소까지 책임진다고 말한 종혁.

"부르주아 새끼."

왜인지 짜증이 솟구쳐 이를 간 그는 핸드폰을 들었다.

—뚜르르, 뚜르르.

"……핸드폰 두고 어디 가셨나?"

회사의 사원으로서 연락이 안 된다는 건 말이 안 되지만, 여태까지 별일 없었기에 그는 애써 불안한 마음을 다독이며 계단을 밟았다.

"짐 풀고 다시 전화 드려야겠네."

'그때도 연락이 안 되면…….'

일이 터진 게 분명할 터.

"그땐 회사에 연락을 해야겠지."

어머니의 윗선에게 말이다.

그게 행동강령이었다.

만약 이충호가 실전을 충분히 겪었더라면 아마 알아차렸을 지도 모른다. 머리 한구석에서 맹렬히 울리는 위험 신호를 말이다.

경험이 일천해 그걸 깨닫지 못한 그는 전자도어락의 버튼을 눌렀다.

띠디디디! 띠리릭!

"어? 벌써 도착한 건가?"

신발장에 놓인 신발들에 의아해하며 안으로 들어간 이충호는 거실에 펼쳐진 광경에 재빨리 돌아섰다.

피투성이 알몸이 된 채 바닥에서 꿈틀거리는 정다현들과 그들의 머리에 권총을 겨누고 있는 덩치 큰 외국인들.

그리고 거실 소파에 다리를 꼰 채 앉아 찻잔을 들고 있는 한 외국인 중년 여성.

함정이었다.

'씨발! 어서…….'

철컥!

이마에 닿는 싸늘한 총구에 이충호는 그대로 얼어붙고

말았다.

"Войти(들어가)."

'러, 러시아어?'

툭툭!

'빌어먹을!'

이마를 미는 권총에 이를 악문 이충호는 결국 나탈리아의 앞에 설 수밖에 없었다.

퍽!

오금이 걷어차여 무릎을 꿇은 이충호.

"크악!"

"으음. 역시 최의 컬렉션은 훌륭하다니까. 아, 왔니?"

"다, 당신 뭐야! 누구야!"

찻잔을 내려놓은 나탈리아는 나른하게 웃으며 검지를 까딱였다.

"으응. 그런 귀여운 수작은 하지 않아도 된단다. 네가 아무리 소리친다고 해도 아무도 듣지 못할 테니까. 내가, 그리고 우리 러시아가 경외하고 사랑하는 최는 이런 면에서 아주 철두철미하거든."

"……최? 서, 설마 최종혁?!"

'뭐야, 뭐가 어떻게 된 거야?! 최종혁이 우리를 이미…….'

콱!

나탈리아의 하얗고 가는 손이 이충호의 입을 틀어쥐었다.

"큽?!"

"그러지 마렴. 내게 집중해야지?"

나탈리아는 눈을 부릅뜬 이충호를 향해 고혹적으로 웃어 주었다.

"내가 지금부터 아주 정중히 어떤 부탁을 할 거란다, 아가야. 이 아줌마가 지금 어떤 징표, 아니 로고라는 걸 찾고 있거든? 내 조국 러시아에 아주 못된 범죄를 저지른 단체의 징표란다."

"크으읍……!"

"내가 찾는 게 없으면 정중히 사과하고 보상금도 줄게. 그러니…… 옷 좀 벗어 볼래?"

껍질을 산 채로 벗겨 버릴 것 같은 도살자의 눈이 웃으며 바라봄에 이충호의 얼굴이 하얗게 질렸다.

3장. 안녕하세요! 김예지입니다!

안녕하세요! 김예지입니다!

　－여긴 끝났답니다, 최. 준비도 완료고요.

　이충호들의 실종에 불 질러진 들판의 메뚜기처럼 반응할 놈들을 감시 및 미행할 준비도 완료했다는 거다.

　"네, 수고하셨어요."

　특별수사팀의 자리에 앉아 전화를 끊은 종혁은 손에 든 서류를 살폈다.

　'이충호. 본명 채현호. 1989년 동작구 일가족 몰살 사건의 유일한 생존자. 장례 후 친척집에 맡겨졌다가 실종. 가출로 추정.'

　서울역에서 목격했다는 제보가 있으나 확인을 하진 못했다.

　'1991년 유력한 용의자였던 김구정 실종. 동년 채현호 일가친척 전원 실종. 1997년 채현호를 비롯한 전원 사망

처리.'

친척들의 주소지가 모두 달라 별개의 사건으로 치부되었고, 결국 전원 사망 처리가 되었다.

당시 경찰이 유일한 생존자라 보존해 뒀던 채현호의 어릴 적 사진과 지문이 현재의 이충호와 일치했다.

종혁은 다음 장을 넘겼다.

'정다현.'

역도 유망주로 태릉에 갔지만, 어깨를 다쳐 은퇴.

당시 왕따 피해자라는 제보가 있었지만, 협회에서 쉬쉬해서 묻혔다. 그리고 그 해 왕따 주동자로 추정되는 인물이 실종됐다.

용의 선상에 정다현이 올라왔지만, 완벽한 알리바이가 있어서 용의 선상에서 제외.

'얘의 사정을 어떻게 알고 접근을 한 걸까. 설마…….'

생각하기 싫은 이야기이기에 종혁은 일단 머리 한구석에 밀어 두었다.

오창진도, 조정근도, 나머지 모두 마찬가지다.

여기도 실종, 저기도 실종이다.

"큭큭. 시발 아주 실종 공화국이네."

이 모두 우연이라고 할 수 있을까.

'SVR의 정보력이 대단하다고 해야 할지, 대한민국의 보안이나 행정력이 거지 같다고 해야 할지. 이 자료들은 대체 어떻게 찾은 거야?'

뭐든 이놈들은 개새끼들이다.

아직 아무런 짓을 하지 않았어도 조직폭력배에 투신을 했다면 범죄자인 것처럼, 그 조직의 소속인 것만으로도 이미 용서할 수 없는 범죄자 새끼들이다.

이제 놈들은 비밀리에 러시아로 넘어가 많은 정보를 불게 될 것이다.

종혁은 불이 붙지 않는 담배를 질겅 씹었다.

"뭘 그렇게 보세요? 또 사건?"

"아, 별거 아냐."

서류를 서랍에 집어넣고 잠근 종혁은 눈을 빛내는 최재수를 봤다.

"그보다 이충호들은? 연락해 봤어?"

"제 똘마니들이요?!"

빠아악!

"씨발. 좋은 말 놔두고 똘마니가 뭐냐, 똘마니가."

"아, 씨! 그럼 뭔데요?!"

"……따까리?"

"에라이."

"뭐, 인마?"

종혁은 투덕거리는 둘을 보며 피식 웃었다.

휴일에다 현재 종혁이 맡긴 사건을 수사 중임에도 부사수들이 온다고 때 빼고 광낸 오택수와 최재수.

올백으로 넘긴 최재수의 머리는 정말 꼴불견이었다.

"그만 놀고 이제 박 터지게 가르쳐야 될 애새끼들이나 만나러 갑시다. 배 안 고파요?"

시간이 벌써 3시다.

"야, 최 팀장. 내가 언제나 말하는데, 이 시간에 배가 고픈 네가 이상한 거라니까?"

"예예. 알았으니 갑시다. 그럼 우린 이만 퇴근합니다."

"부럽다아!"

"퇴근할 땐 조용히-!"

오늘도 휴일을 반납한 다른 수사팀을 외면하며 오피스텔로 향한 종혁은 사람이 있었다는 흔적조차 없이 깔끔한 내부에 미간을 좁혔다.

"뭐야, 애들 안 왔나 본데요? 전화도 안 받아요!"

"하, 이 새끼들 빠져 가지고. 나 때는 말이야, 어?"

툴툴거리며 오피스텔을 빠져나온 오택수는 돌연 발을 굴렀다.

"아, 이거 생각할수록 열 받네? 계속 전화 안 받지?"

"네! 와, 애들 뭐지? 난 왜 사우나 갔다 온 거지?"

종혁은 슬슬 열이 받기 시작하는 둘의 모습에 어깨를 으쓱였다.

"뭐, 이틀 연속 달리다 뻗었나 보죠. 일단 우리끼리 시작합시다. 마시다 보면 오지 않겠습니까?"

"진짜 지금부터 먹게?"

"그럼요?"

종혁은 질리는 그들을 달래며 오피스텔을 나서자마자 속으로 피식 웃었다.

'끝났군.'

오피스텔 주차장, 입구 바로 옆에 세워져 있던 낯선 차량에서 인기척들이 느껴졌다.

알리바이까지 만들었으니 이젠 정말 끝이었다.

"뭐부터 먹을래요? 참치? 랍스터?"

"커피 새끼야, 커피!"

"저, 저도 커피에 한 표! 다수결 땡땡땡!"

"오케이. 시작은 맛없는 한우로!"

종혁은 킬킬 웃으며 발을 크게 내디뎠다.

"……최종혁 혐의 없음. 감시 등급 유지."

나지막한 목소리가 답답한 침묵을 뚫지만, 입을 여는 이가 없다.

톡톡.

책상을 검지로 두드리던 사십대 중년인은 한숨을 내쉬었다.

"현 시간부로 제6차 경찰 잠입 프로젝트는 폐기한다. 인턴 및 인턴 관리 사원 전원에게 자살 공문 보내고, 그 지방의 지부들 철수시켜."

대부분 회사의 안가로 쓰였던 인턴 관리 사원, 정확히는 훈육관 및 안가 관리인의 사택.

"그리고 언론 가동시켜서 최종혁 때려."

본청의 유능한 엘리트가 중경에서 4명을 차출했는데 4명 전원이 실종했다.

불을 지펴 놓으면 알아서 국민들이 망상이라는 장작을

쏟아부으며 최종혁을 싸잡아 화형을 시키려 들 터.

마음 같아선 곧 집단 자살을 할 인턴들과 그 훈육관까지 뒤집어씌우고 싶지만, 그렇게 되면 경찰이 나서게 된다.

얻어맞은 게 뼈아파 국정원과 경찰까지 불 질러 버리고 싶지만, 그랬다간 국정원과 경찰이 이 악물고 달려들 것이기에 이 정도에서 끝내야 했다.

'거지 같군.'

"그러면서 은밀히 러시아가 언급되게끔 해서 압박할 수…… 뭐야? 표정이 왜 그래?"

"아직 남아 있잖습니까. 그들에게도 은퇴 지령 내립니까?"

"……아. 후우."

그제야 실수를 깨달은 중년인은 마른세수를 했다.

부하 직원의 말이 맞다. 경찰 잠입 프로젝트의 생존 사원이 아직 남아 있었다. 애초부터 적당한 곳에서 쓰기 위해 적당한 성적을 유지하라는 지령을 내린 인턴들.

'빌어먹을. 장기 휴가를 내야겠어.'

아무래도 정말 실수를 하기 전에 안식년을 가져야 할 듯싶다.

"두 명이었던가?"

"예, 신안 지부 소속이 될 인턴이 둘 남아 있습니다."

"오케이. 그중 하나 충주 지부로 올리고, 프로젝트는 폐기. 그 둘은 따로 관리한다."

"옙!"

"대답만 하면 뭐해! 움직여!"

"예!"

중년인은 다시 바쁘게 움직이는 사무실을 보며 담배를 물었다.

'그래, 씨발. 이번에도 한 방 맞았다. 하지만…….'

아직 끝난 게 아니다.

겨우 이 정도 일로 회사가 흔들릴까. 어림도 없다.

창가로 걸어간 그는 본사 밖 풍경을 보며 담배 연기를 뿜었다.

"후우우."

* * *

실종된 예비 순경들은 어디로?

본청행이 약속된 엘리트 순경들! 나란히 실종?

중앙경찰학교의 폭군이라 불린 최 모 경정. 직접 차출했다?

퇴소! 퇴소! 퇴소! 퇴소대마왕!

예비 순경들의 실종 장소가 최 모 경정의 오피스텔?

경찰, 다른 여죄 추궁!

국민들은 이 기이한 사태에 주목을 하기 시작했고, 발등에 불이 떨어진 경찰은 재빨리 움직였다.

본청의 취조실.

종혁의 고함이 벼락처럼 터진다.

"아니, 씨발! 내가 걔들이 어떻게 됐는지 어떻게 압니까! 나도 알고 싶다고요! 지금이라도 내가 수사할 수 있게 보내 주든지!"

"어허! 관계자가 수사하면 안 된다는 거 몰라요?"

"거기다 실종 장소가 당신 명의의 오피스텔이야! 증거가 인멸되는 꼴을 보라는 거야?!"

"그럼 어쩌자고! 이게 벌써 며칠짼데! 씨발, 니들 지금 수사할 마음 없지? 그냥 덮으려는 거지? 에라이, 씨바새끼들아!"

종혁은 취조실 책상 엎어 버렸다.

"악! 이, 이 사람이! 이봐, 최 팀장!"

"차라리 날 죽여, 이 씨발라마!"

"……잠시 쉬었다가 하지. 넌 나가 있어."

"팀장님!"

"나가라고."

입술을 깨문 삼십대 남성은 자리를 박차고 나갔고, 남겨진 팀장은 바닥을 뒹구는 캠코더를 끄며 거울 벽을 보며 커트하라는 신호를 주었다.

"한 대 필래?"

"……후우. 죄송합니다. 어디 다치신 곳 없습니까, 팀장님."

인연이 깊다면 깊은 인연이다. 그동안 받은 모든 감찰

을 눈앞의 중년인에게 받았으니 말이다.

"그리고 다시 한번 팀장이 되신 걸 축하드립니다."

"뭘. 이제야 겨우 한 놈 키우는가 싶더니 이렇게 되어 버렸는데. 나도 늦었지만 팀장 된 걸 축하해."

"감사합니다."

"대체 어떻게 된 일이야? 걔들이 최 팀장 오피스텔에 들어간 CCTV 영상은 있는데 나간 영상이 없어."

"저도 그래서 미치겠습니다! 제가 직접 살펴보고 직접 군살을 깎은 놈들입니다! 그런 걔들이 감쪽같이 사라졌 다고요! 이건……."

"누군가 최 팀장을 음해하려는 것이겠지."

지금 언론과 여론의 방향도 그렇다. 바깥에선 종혁의 화형식이 이뤄지고 있었다.

거기다 밖으로 유출되지 않았지만, 이충호들 외에도 10명의 교육생들과 그 가족들마저 실종이 된 상태다.

현장 일을 못 견뎌 퇴소를 하는 거라면 몰라도 실종이 다.

이 사실이 밖으로 유출된다면 종혁은 당분간 경찰 일을 접어야 할지도 몰랐다. 공교롭게도 그들 역시 종혁이 맡 았던 이들이기 때문이다.

"대체 어떤 놈들에게 밉보인 거야?"

"……저 죽이겠다고 벼르는 놈이 어디 한둘입니까? 가 장 최근에는 홍익현 의원이 있겠네요."

이제야 국회에서 체포동의안이 발의된 홍익현 의원.

"씨발. 죽이려면 나만 죽이지, 왜 애꿎은 걔들을…….
팀장님."

"수사에서 배제되는 게 원칙인 거 알잖아."

"……씨발!"

쾅!

테이블을 걷어 찬 종혁은 다시 담배를 물었고, 팀장은
가까이 다가와 불을 붙여 주었다.

"그래서 지금 대체 뭐가 어떻게 돌아가는 거야?"

종혁은 가만히 팀장을 봤다.

"……제가 알겠습니까."

"그래, 날 믿지 못하겠지. 오케이, 알았어. 아무튼 징계
는 피할 수 없을 거야."

"강등이나 부서 이동만 아니면 되죠, 뭐."

"당분간 일감이 배정 안 될걸. 근신 처분도 받을 거고."

"예?! 아니…….."

이게 대기 발령이랑 무슨 차이가 있겠는가.

"아니면 임대를 가든가. 각 구단 순회로."

"……여기서 혀 깨물고 뒈지면 되는 겁니까?"

"안 돼. 청장님이 최 팀장 목숨줄은 붙여 놓으래. 아니
면 통장이라도 받아 두거나."

'지랄 났네.'

모든 상황을 알고 있는 이택문이 이런 결정을 내렸다는
것이 정말 얄미워 미칠 것 같은 종혁이다.

"예산도 많아졌으면서…… 하, 알겠습니다. 일단 생각

해 보겠습니다."

"그래. 수고했고, 당분간 어디 돌아다니지 말고 집에 있어."

"알겠습니다. 알았어요."

"모레 또 보자."

"그건 싫은데요."

씩 웃은 팀장은 종혁의 어깨를 두드리곤 캠코더를 챙겨 취조실을 빠져나갔고, 홀로 남겨져 한숨을 푹푹 쉬던 종혁은 옥상으로 향했다.

부우웅! 빵빵!

저 아래 바쁘게 돌아다니는 차들과 시원하게 불어오는 봄바람.

종혁의 표정은 어느새 무심하게 굳어 있었다.

"예. 나예요, 나탈리아."

―미안해요, 최. 실패했어요.

언론을 움직인 세력을 쫓는 데 실패했다는 말.

이미 어떤 반격이 있을 거라고 생각해서 나탈리아에게 부탁을 해 놨는데, 그물을 쳐 놨는데 결국 실패하고 말았다.

절로 혀가 차지지만, 그래도 놈들의 반격이 이 정도로 끝나서 다행이라고 할 수 있었다. 여차하면 대기발령이나 강등까지 각오했기 때문이다.

―모두 익명으로 투신을 했더라고요. 추격해 봤지만……

"그렇습니까. 아니요, 괜찮습니다. 네, 들어가요."

전화를 끊은 종혁은 혀를 찼다.

"쯧. 치밀한 새끼들."

한 방 제대로 먹었다.

"그래. 이번엔 한 방 먹었다, 개새끼들아."

종혁은 다시 핸드폰을 들었다.

"예, 청장님. 최종혁입니다. 지금 가겠습니다."

―알았어.

전화를 끊은 종혁은 비릿하게 웃었다.

"그런데 다신 이런 수작 부리지 못할 거다."

현 시간부로 중경이 대대적인 개편에 들어갈 테니 말이다.

이제부터 철저하게 인성 검사 및 문신 여부를 조사를 할 것이다. 그것도 국내가 아니라 SVR과 CIA의 추천을 받은 해외의 각 분야 전문가가.

경찰대도 마찬가지였다.

중앙경찰학교에도 잠입시킨 놈들이 경찰대학교라고 가만 놔둘까. 어쩌면 이미 놈들의 하수인이 암약을 하고 있을지 몰랐다.

'아니, 그럴 확률이 높겠지.'

그 역사가 언제부터인지 감조차 오지 않는 놈들이다. 계속 의심하고 의심해야 됐다.

"시발, 돈이 얼마나 깨지려는지. 아, 참 학교장 문제도 있지."

중경 개편에선 가장 필요한 문제였다.

"어, 최재수. 내 책상 키보드 위에 택배로 온 대봉투 하나 있거든? 어, 그래. 그거 들고 청장실로 와."

—네, 네에?!

"한두 번 본 것도 아닌데 뭘 그렇게 놀라. 끊는다."

한 방 얻어맞았지만, 고작 이 정도로는 끄떡없다.

종혁은 킬킬 웃으며 청장실로 향했다.

＊　＊　＊

이충호들의 실종 이슈도 시간이 지나자 수그러들었다.

종혁의 오피스텔 근처에서 러시아계 외국인들이 이충호들을 데리고 가는 걸 목격했다는 목격담이 나오며 온갖 말도 안 되는 루머들, 개중엔 진실에 도달한 가설들도 나왔지만 이내 곧 묻혀 버리고 말았다.

이 하나의 이슈에만 매달리기에는 하루에도 터지는 사건이 너무 많았기 때문이다.

그리고 그 시각 종혁은…….

치이이익!

"으악! 탄다, 타!"

"내가 삼겹살 고집할 때부터 알아봤다! 비켜!"

오택수가 다급히 그릴에 물을 뿌리는 작은 숲.

졸졸졸 물이 흐르는 제법 넓은 계곡에서 순희와 순철, 오택수의 가족들이 5월 봄의 물장구를 치고, 의자에 앉은 최재수의 할머니는 흘흘 웃으며 그 모습을 지켜본다.

어머니 고정숙은 맥주 한 캔을 원샷하더니 20명은 족히 잘 수 있는 커다란 텐트에서 코를 골며 자고 있다.

"그래, 가끔은 이런 미니멀한 것도 좋지."

살랑 불어오는 서늘하지만 따뜻한 봄날의 숲속 바람이 이번 일로 쌓인 스트레스를 모두 날려 버리는 기분.

팽팽하게 당겨졌던 신경줄이 나른하게 늘어진다.

"좋네."

"아오, 저 멍청한……. 아니, 저놈 때문에 이게 뭔 난리야?"

최재수의 할머니 눈치를 보며 맥주캔을 따는 오택수의 모습에 종혁은 키득키득 웃었다.

"그런데 이런 곳은 대체 어떻게 알게 된 거야?"

고작 5분 거리에 도시가 있어 물품을 구하기도 쉬운 것도 모자라 계곡이 흐르는 여기까지 길도 잘 닦여 있는데 이용하는 사람이 아무도 없다.

공터도 굉장히 넓고 평평하며, 시야가 도시 쪽으로 뚫려 야경도 죽여줄 텐데도 말이다.

"제 건데요?"

"……어?"

"오다가다 좋아 보여서 샀어요. 제 사유지예요."

"바로 옆이 도신데?"

"옆이 도시지, 여기가 도시는 아니잖아요."

여기 산이나 강원도의 산이나 종혁에겐 그 돈이 그 돈이었다.

"어, 그래. 공기 맛 좋네."

얼떨떨해하던 오택수도 이내 그러려니 하며 어깨를 늘어트렸다.

"그래서?"

툭 내뱉는 말에 종혁은 저 멀리 아파트숲을 보며 맥주를 홀짝였다.

'그래. 이제 대충 알려 줄 때도 됐지.'

"잘은 모르는데 러시아와 연관된 걸로 추정돼요. 그때 오 경감님도 봤던 그분께서 미안하다고 하더라고요."

"우리 경찰에 벌레가 기어 들어올 뻔했다라……. 예사 놈들이 아니란 소리네."

러시아가 얽혀 있다면 놈들이 국제적으로 노는 거대 범죄 단체란 소리다.

"이놈의 거지 같은 세상, 법 좀 지키며 살면 어디 덧나냐. 시발것."

"그럼 우리 백수 됩니다. 장미 대학 보내고, 결혼도 시켜야 된다면서요."

이제 곧 고등학생이 되는 장미.

진짜 육아는 이제부터 시작이었다.

"다른 일 알아봐도 좋으니까 제발 그랬으면 좋겠다."

"동감입니다."

법. 그건 최소한이다.

사람이 살아가면서 최소한으로 지켜야 하는 것.

"고기 대령이요! 고기 드시면서 마시세요!"

"……그래. 넌 생각 없어서 좋겠다."

"먹지 마, 이씨."

"이리 와, 새끼야."

고기가 담긴 접시를 종혁의 무릎 위에 올려놓은 최재수는 그대로 줄행랑을 놓았고, 오택수는 전력으로 따라붙었다.

풍덩!

"억! 자, 잠깐 코에 물이……! 항복!"

"뒤져라, 뒤져."

"하아. 하늘 좋네."

남은 맥주를 들이켠 종혁은 텐트 안으로 들어가 어머니 고정숙 옆에 누웠다. 오랜만에 느껴 보는 어머니의 따뜻한 숨소리가 그를 잠의 세계로 이끌었다.

그렇게 얼마의 시간이 흘렀을까.

"……."

눈을 뜬 고정숙은 고른 숨소리를 내며 잠든 종혁을 빤히 응시했다. 그동안 마음고생이 심했는지 볼살이 빠진 아들.

"잘하고 있어, 아들. 고생했어."

그녀는 종혁의 머리를 꼭 끌어안으며 등을 두드렸다.

지친 아들이 푹 잘 수 있도록 말이다.

* * *

미니멀하게 캠핑을 왔을 뿐, 준비한 것들마저 미니멀한

건 아니었다.

해가 점점 저물어 가자 방금까지 고기를 태우던 숯불 그릴을 치운 그들은 신화호텔에서 가져온 음식들을 펼치며 다시 술잔을 기울였다.

타닥! 타다닥!

텐트 옆에서 타들어 가는 작은 모닥불.

마음이 맞는 사람들끼리 모여서 그런지 그 작은 온기가 크게 느껴진다.

그때였다.

"저 결심했어요!"

갑자기 자리를 박차고 일어난 장미에게 시선이 모인다.

오택수보다 예쁜 부인의 외모를 더 닮은 단발머리의 장미. 입가에 묻은 스테이크 소스가 인상적이다.

"저 팀장님한테 시집 갈래요! 사랑해요."

"……엄마, 여기 가니쉬도 먹어 봐. 이거 괜찮네."

"넌 고기 먹고, 이 엄마는 풀떼기 먹으라고? 너 내 아들 맞니?"

"사랑해요, 팀장님! 사랑한다니까…… 읍?!"

"호호. 미안해요, 팀장님?"

"읍! 으으읍! 푸하! 사랑…… 으으읍!"

"어머, 얘가 오늘따라 왜 이러지? ……꺾어 ……해."

"꽉?"

무슨 귓속말을 들은 건지 하얗게 질리는 장미의 모습을 종혁은 슬그머니 외면해 주었다.

'전에도 느꼈지만, 형수님께서 와일드하시네.'

형사 와이프인데 어련할까.

남편이 잡아넣은 범죄자들의 협박 전화에 성격이 드세지든지, 아니면 견디지 못해 이혼을 하든지.

형사 와이프에겐 이 두 가지 미래밖에 없었다.

"관심 없습니다."

"왜? 우리 장미가 어때서!"

"관심 가져 달라고요?"

"싸우자, 이 자식아! 우리 장미는 절대 못 준다!"

"뭐래는 거야, 이 양반이. 우리 캐릭터는 지킵시다, 좀."

고개를 저은 종혁은 순희에게 작게 썬 랍스터를 물려주었다.

부스럭!

수풀이 흔들리는 소리에 고개를 돌린 종혁은 잠시 굳어버렸다.

얼마나 씻지 못한 건지 꾀죄죄한 몰골을 한 예닐곱쯤으로 보이는 소녀와 소년.

남매인 듯 손을 꼭 잡은 둘은 종혁들을 보곤 눈을 크게 떴다가 이내 하얗게 질리며 얼른 몸을 돌렸다.

이 순간 종혁이 내릴 수 있는 결정은 하나였다.

"……잡아!"

오택수와 최재수도 곧바로 땅을 박찼다.

"히끅! 히끅!"

"어구구. 누가 그랬어? 저 아저씨들이 그랬어?"

달려드는 형사 셋에 결국 주저앉아 울음을 터트려 버린 아이들.

양팔을 든 채 벌을 서는 종혁과 오택수, 최재수는 억울했다.

무슨 이유로 도시와 떨어져 있는 이런 산을 방황하고 있던 것인지는 알 수 없으나, 위험한 상황에 처하기 전에 보호해 주는 것이 경찰의 일이었다.

그런데 이렇게 혼이 나고 있으니 그들로서는 억울할 수밖에 없었다. 하지만 여성들의 눈초리에 그들은 어깨를 움츠릴 수밖에 없었고, 순철만이 그들의 등을 두드렸다.

"안 그래도 못생긴 분들이 너무 험했습네다."

"씨부럴?"

"쓉! 아빠, 바른 말! 애들이 듣잖아!"

"......."

그들은 구시렁거리며 멀리 떨어졌고, 두 아이는 여성들의 보살핌에 진정을 할 수 있었다.

찰칵! 치이익!

사람들이 보이지 않을 정도로 멀리 온 그들은 그제야 담배를 물었다.

"일단 버려진 건 아니었어요."

"버려졌어도 하루는 안 됐을 거야."

손에 풀물이 들지 않았고, 수풀에 쓸린 자국도 없다.

"폭행을 당한 징후도 없고."

두 아이는 놀랐을 뿐이지 사람의 손을 피하진 않았다.

"흠. 저기 도시에 사는 아이들이 놀러 온 걸까요?"

"그럴 확률은 적지."

차로는 5분 거리이지만, 저런 어린아이들의 걸음으론 몇 십 분을 걸어야만 했다. 심지어 그 와중에 산까지 타고 올랐다?

어린아이의 몸으로는 결코 쉽지 않은 일이었다.

"여보. 애들 입 열었어."

"아, 형수님."

다급히 담배를 끄는 종혁과 최재수의 모습에 싱긋 웃은 그녀는 말을 이었다.

"이 산 밑에 지어진 고아원에 사는 아이들이라는데?"

"이 산 밑에요? ……내 땅에?"

종혁은 어떻게 된 거냐는 시선들에 눈을 껌뻑였다.

* * *

"욤뇸뇸."

'짜식들. 잘 먹네.'

언제 겁먹고 울었냐는 듯 과자를 갉아먹는 아이들. 백미러로 눈이 마주치자 히죽 웃는 모습이 참 귀엽다.

절로 피어나는 흐뭇한 미소를 감추지 못하고 도착한 고아원은 정말로 산 밑에 있었다.

아까 왜 이 길을 발견하지 못했나 의아할 정도로 도로

와 연결된 흙길을 쭉 따라 들어가니 나타난 작은 집.

소위 조립식 건물이라는 샌드위치 판넬로 지어진 스무 평 정도 되는 집이었다.

나름 오래 산 것인지 감자 줄기가 자라난 텃밭도 있고, 처마 밑 늘어진 빨랫줄에선 작은 사이즈의 옷들이 바람에 펄럭이고 있었다.

공터와 맞닿은 산자락 수풀을 뒤지거나 공터를 뛰어다니는 아이들이 해맑게 웃고, 빨랫줄에 빨래를 널던 11살 즈음 되어 보이는 아이가 종혁의 차를 발견하고 옆에 있는 중년 여성을 콕콕 찌른다.

의아해하며 다가온 여성은 이내 곧 차에서 내리는 두 아이를 발견하곤 기겁하며 다가온다.

"예지야! 호연아!"

"원장님!"

낯선 승합차에서 원생들이 내릴 줄 몰랐던 그녀는 기절초풍하듯 놀랐다가 다급히 아이들을 등 뒤에 숨기며 경계심이 가득 서린 눈으로 종혁들을 살폈다.

'고아원 원장이 사람을 경계한다라……'

종혁은 일단 푸근히 웃었다.

"여기 산의 계곡에 놀러 온 사람인데, 이 아이들을 발견해서요. 여기 아이들 맞죠?"

"아! 죄, 죄송합니다! 감사합니다! 김예지! 박호연! 내가 산 깊숙이는 가지 말랬지! 호랑이가 어흥 하고 잡아간다고!"

"죄, 죄송해여."

"자, 잘못했어여."

옷을 꽉 잡는 손길에 아차 하며 정신을 차린 그녀는 한숨을 내쉬었다.

이게 어디 아이들의 잘못이겠는가.

한참 호기심이 많을 나이의 아이들에게 제대로 놀 수 있는 환경을 제공하지 못한 그녀 자신의 잘못이었다.

'도시에서 쫓겨나지만 않았어도 아이들이 이런 산을 돌아다닐 일은 없었을 텐데…….'

그녀는 애써 웃으며 두 아이의 머리를 쓰다듬었다.

"다음부턴 그러면 안 된다?"

"네!"

"그래도 잘못했으니까 들어가서 무릎 꿇고 손 들고 있어. 뭘 그렇게 놀라? 어서."

용서받는 분위기라 안심했다가 놀란 아이들은 이내 어깨를 축 늘어뜨리며 집으로 향했고, 그녀는 그제야 종혁에게 고개를 숙였다.

"죄송해요. 아이들을 데려다주신 고마운 분들에게 인사가 늦었습니다. 아이들이 귀찮게 하진 않던가요?"

종혁은 손을 저었다.

"아닙니다. 혼날 짓을 했으면 혼이 나야죠."

"그렇게 말해 주셔서 감사해요. 아참, 내 정신 좀 봐. 들어오셔서 차라도 한잔 드시고 가세요. 이렇게 외진 곳이지만 고마운 분들에게 드릴 차는 있답니다."

푸근히 웃는 그녀의 말엔 거부할 수 없는 따스한 힘이
담겨 있었다. 그렇지 않아도 묻고 싶은 게 많은 종혁은
고개를 끄덕였다.

　"그럼 신세 좀 지겠습니다."

　"신세는요. 아, 얘들아. 손님이 오시면 이 엄마가 어떻
게 해야 된다고 했지?"

　"아, 안녕하세요! 김수철입니다!"

　"안녕하세요! 최지희입니다!"

　주춤거리면서도 배꼽인사를 하는 여섯 명의 아이들. 이
른 아침 재잘재잘 울어 대는 참새들의 합창 같아 입가에
절로 미소가 피어난다.

　"호호. 안으로 들어오세요."

　집 안은 따로 공간이 나눠지지 않고 뻥 뚫려 있었고,
바닥엔 장남감들이 널브러져 있었다.

　여느 아이 있는 가정집과 흡사한 풍경이다.

　그들은 안쪽에 커튼으로 따로 분리시킨 공간 안으로 들
어갔다.

　나름 테이블과 의자를 갖춘 협소한 공간.

　한구석에 곱게 개어진 이불을 보니 아무래도 이곳이 그
녀가 자는 곳이자, 찾아온 손님을 응대하는 곳 같았다.

　테이블에 놓인 의자의 수를 헤아린 오택수의 부인은 눈
을 곱게 접으며 입을 열었다.

　"원장님, 전 아이들과 놀아도 될까요?"

　"네? 아, 아니……."

"제 딸이 중학생인데 이제 다 컸다고 잘 놀아 주지 않아서요. 어떻게 안 될까요?"

"애, 애들이 많이 활발해서 힘드실 텐데 괜찮으시다면……."

"감사합니다! 히힛. 이것저것 다 해 봐야지!"

그녀가 커튼을 힘차게 걷으며 나가자 종혁은 오택수를 봤다.

"올."

"봤냐? 내 마누라가 이 정도야. 부러우면 너도 결혼……."

"전 커피 있으면 그걸로 부탁드립니다, 원장님."

"저, 저도요!"

"이런 씨. 저도 같은 걸로 부탁드립니다."

"……호호. 네."

'좋은 분들이시구나.'

예지와 호연을 데려다줬을 때부터 느꼈지만, 정말 좋은 분들 같다.

그녀는 얼른 커피 세 잔을 타 왔다.

"전 아까 마셔서……."

부끄러워하는 그녀에 종혁은 신경 쓰지 않는다며 손을 저었다.

"그럼요. 커피는 하루에 한 잔만 마시는 게 좋죠. 그나저나 아이들에게 이곳이 고아원이라는 소리를 들었습니다."

대체 어떻게 된 일일까. 도시에 살아도 부족함이 많을

텐데, 왜 이런 산 밑에 집을 짓고 사는 걸까. 여기에 산지는 얼마나 됐을까.

이런 많은 궁금증이 담긴 종혁의 표정에 중년 여성, 원장의 표정이 살짝 굳는다.

"네. 여러 사정이 있었죠. 그, 그래도 너무 걱정 마세요! 여기가 이렇게 허허벌판이어도 도시와 다르게 공기도 맑고, 물도 깨끗해서 아이들이 참 좋아하거든요! 정말이랍니다!"

종혁들은 애써 변명하는 그녀의 모습에 일그러지는 얼굴을 펴고자 애써야 했다.

그런 그들의 모습에 원장은 당황하던 걸 멈추고 푸근히 웃었다.

"정말 걱정하지 않으셔도 돼요."

원래 있던 곳에서 쫓겨나며 전전긍긍하던 중에 시청에서 이렇게 집도 지어 주고 길도 내주었다.

"어른인 제겐 불편함이 있더라도 방금 보셨다시피 아이들이 해맑게 뛰어놀 수 있다면 전 충분히 만족한답니다."

작은 발전기로 전기도 해결하고, 지하수도 나오니 사는데는 지장이 없었다.

"……예. 정말 진심으로 웃더군요."

"후훗. 제 자랑이자 무엇과도 바꿀 수 없는 보물들이랍니다."

다 만족한다니 더 할 말은 없지만, 한 가지 의문이 든다.

"그런데 여긴 어린아이들만 보호하는 곳인가요?"

처음 이곳에 도착했을 때부터 생긴 궁금증이다.

온통 작은 사이즈의 옷과 속옷이 걸려 있던 빨랫줄.

청소년기 아이들의 옷이나 속옷은 보이지 않았고, 집 안에도 교복이나 책상, 책들이 보이질 않았다. 온통 동화책이나 아이들용 장난감만이 바닥에 널려 있었다.

순간 원장의 눈에 아픔이 서렸다가 밝아졌다.

"혹시 행복의 쉼터라는 곳을 아시나요?"

오택수와 최재수의 시선이 종혁에게로 향한다.

종혁은 슬그머니 외면하며 입을 열었다.

"예. 알죠. 가출청소년의 자립을 돕는 곳이잖습니까."

"네! 초등학교 고학년 이상 되는 원생들은 다 그곳에서 공부를 하고 있답니다. 가출한 아이들이 아님에도 선뜻 맡아 주시니 정말 고마운 분들이죠."

"아, 그래서……."

원래 있던 곳에서 쫓겨나며 원생들이 모두 뿔뿔이 흩어 졌으면 어쩌나 걱정한 그들은 안심할 수 있었다.

그러자 이번엔 다른 의문이 생긴다.

"그런데 행복의 쉼터 재단은 고아원에도 재정적으로 지원을 하지 않던가요?"

종혁은 이 산 밑에 둥지를 튼 것을 꼬집고 있었다. 행복의 쉼터 재단의 지원이 있었더라면 도시 내에서 살 수 있었을 테니까.

"그, 그것까진 너무 죄송해서……. 어쩔 수 없죠. 이런 곳에서 살게 된 이상 감내해야 될 부분이죠."

이렇게 비를 피할 지붕이 있는 것만으로도 감지덕지였다.

종혁과 오택수, 최재수는 이마를 짚었다. 미련할 정도로 착한 사람이었다.

"팀장님."

"어, 그래. 나도 더는 참지 못하겠다."

"저도 보탤게요."

"나도."

"그렇다네요. 원장님. 계좌번호 좀 알려 주시겠습니까?"

"네? 아, 아뇨! 후원은……."

"제가 드리고 싶어서 그럽니다. 부탁드리겠습니다."

후원을 하려면서도 고개까지 숙이는 종혁의 모습에 당황하던 그녀는 이내 어쩔 수 없다는 듯 계좌를 알려 줄 수밖에 없었다.

"아, 잠시만요."

핸드폰을 든 종혁은 어딘가로 전화를 걸었다.

"예, 지점장님. 저 최종혁입니다. 지금 제가 말하는 계좌로 1억, 아니 2억만 이체해 주세요. 계좌번호가……."

"힉?!"

원장의 눈이 튀어나올 듯 커졌다.

"가, 감사합니다. 정말 감사합니다."

너무 많은 액수라 눈앞이 아찔할 정도로 부담스럽다.

하지만 이 돈이 결국 아이들에게 입힐 옷이고, 먹일 밥이며, 추운 겨울을 따뜻하게 날 수 있는 기름값이라고 생각하니 차마 거부할 수가 없다.

"예지와 호연이를 찾아 주셨는데 이런 거액의 후원까지……. 이 은혜를 대체 어떻게 갚아야 할지…… 흑!"

그렇지 않아도 이곳에서조차도 언제 퇴거될지 모르는 상황이다. 그런 상황에서 이런 거액은 구원의 빛이나 다름없었다.

"쫓겨난다고요?"

"저도 최근에야 알게 됐는데, 여기 땅과 산에 주인이 있다고 하시더라고요."

얼마 전 시청 관계자가 와서 그렇게 말했다.

"그러니까 땅 주인이 있는지도 모르고 고아원을 설립해 주었단 말입니까?"

"행정 착오였다고……."

솔직히 그녀라고 이런 산 밑이 좋을까.

그러나 원래 있던 곳에서 쫓겨나 오갈 데가 없는 상황에서 시청이 어렵사리 지어 준 곳이다. 그래서 마음을 다잡고 어떻게든 살아 보기로 했는데, 마른하늘의 날벼락처럼 땅 주인이 있다고 한다.

땅 주인이 자신들에 대해 알게 되면 무조건 내쫓을 터. 땅 주인이 나가라고 한다면 어쩔 수 없이 이곳을 떠날 수밖에 없었다.

그렇게 반쯤 체념한 원장의 말에 종혁은 습관적으로 담

배를 찾다 멈췄다.

'씨부럴. 이 나라라면 가능할 것 같아서 놀랍지도 않다.'

누가 관리를 하긴커녕 잡풀만 무성해 무주지로 보였을 테니 제대로 확인조차 안 하고 건물부터 세웠을 것이다. 뻔했다.

'그러다 문제가 생기면 미안하다, 하지만 우린 할 만큼 다 했다고 말하겠지. 씨발 새끼들.'

어디 한두 번 보는 일이던가.

"달리 가실 곳은 있으십니까?"

원장은 씁쓸히 웃으며 고개를 저었다.

"아, 그래도 괜찮아요! 오늘 주신 후원금도 있고, 정 안 되면 다른 고아원에서 고맙게도 아이들을 맡아 주기로 했으니 후원자님들께선 너무 걱정하지 않으셔도 된답니다!"

그리고 며칠 내로 입양을 희망하는 부부도 오기로 했다.

"고마운 분들이군요."

"네. 정말 고마운 분들이죠."

종혁은 다시 푸근히 웃는 그녀의 모습에 주먹을 꽉 쥐었다.

"알겠습니다. 귀중한 시간 내주셔서 감사합니다."

"아뇨, 아니요! 후원자님들께서 귀한 걸음을 해 주신 거죠!"

그녀는 일어서는 종혁들을 허둥지둥 따라나섰다.

"애들아! 손님들 가신대! 인사해야지!"

"안녕히 가세요!"

"히잉."

그 짧은 시간 오택수의 부인에게 정이 든 건지 아쉬워하는 아이들.

툭툭 바짓단을 잡아당기는 손길에 고개를 내린 종혁은 손가락을 빨며 아쉬워하는 예지를 발견할 수 있었다.

"아저씨, 가?"

"응. 저 위에 계시는 분들이 걱정하실 거거든. 대신 금방 또 온다고 약속할게."

"……약속?"

"그래, 약속. 이렇게 새끼손가락 걸고, 도장 꾹, 복사 쫙."

종혁은 꺄르르 웃는 예지의 손에 명함 한 장을 쥐여 주었다.

"무슨 일 있으면 이 번호로 전화해. 그럼 아저씨가 달려갈게. 알았지?"

"응!"

예지의 머리를 쓰다듬으며 일어선 종혁은 원장을 바라봤다.

"마지막으로 한 가지 더 묻고 싶은 게 있는데요."

"네!"

"원장님, 이곳이 정말 좋으십니까?"

"……네. 아이들이 이렇게 걱정 없이 뛰어놀 수 있으니까요."

웃는 소리조차 제대로 낼 수 없는 도시보다는 교통편이 부족하고 위험해도 차라리 이곳이 나았다.

아이들이 어깨 활짝 펴고 마음껏 웃을 수 있으니까.

"알겠습니다. 감사합니다. 아, 땅 문제는 걱정 마십시오. 제가 개인적으로 땅 주인에 대해 아는데, 원장님 같은 분이나 이런 천사들이 산다고 하면 양팔 벌려 환영할 분이니까요."

"네?"

"그럼. 가시죠, 형수님!"

"네-!"

"잘 가요. 빠빠이!"

원장은 차에 오르는 종혁을 멍하니 응시하다가 이내 허리를 깊게 숙였다.

이렇게 고맙고, 또 고마운 분들이 있을까.

그리고 이런 분들과 만나게 해 준 하늘과 예지, 호연에게 감사했다.

"엄마, 울어?"

"아, 아니야. 울기는. 눈에 먼지가 들어가서 그래. 그런데 그건 뭐니?"

"방금 아저씨가 줬어."

"어머. 명함이네?"

그제야 은인들에게 연락처 하나 받지 않았다는 걸 깨달은 그녀는 더욱 죄송해하며 명함을 받아 들었다가 소스라치게 놀랐다.

"······경찰이었다니."

그녀는 차가 떠난 자리를 멍하니 응시했다.

"그래, 돌려 드리자!"

경찰의 월급이 얼마나 되겠는가. 무리해서 준 것이 분명했다.

아무리 필요하다지만, 돌려 드리는 것이 옳았다.

그래도 그녀는 다시 한번 종혁의 차가 사라진 방향을 향해 고개를 숙였다.

이렇게 인사밖에 할 수 없는 게 참 원망스러웠다.

* * *

다시 계곡으로 돌아오는 길.

차 안이 조용하기만 하다.

"······아오, 씨발 진짜!"

쿵 오택수가 차창을 후려치고, 오택수의 부인은 달아오른 눈시울을 매만진다. 최재수는 이미 소리 없이 흐느끼고 있다.

"야, 왜 사람은 힘들수록 저렇게 착하게 살아야 하는 거냐! 할 말도 제대로 못하고 끙끙거리면서 왜!"

행정 착오로 이상한 곳에 고아원을 지어 줬으면 다시 지어 달라고 말을 해야 할 텐데, 말하는 모습을 보니 아예 그런 생각을 안 한 것 같다.

"혹여 자신의 말 한마디로 아이들이 피해라도 입을까

걱정하셨던 거겠죠."

자신을 엄마라고 했다.

아이들을 위해서라면 수백, 수천 번도 더 목소리를 낼
수 있지만, 문제는 그 목소리가 오히려 아이들에게 피해
로 다가올 수도 있다는 점이었다.

"저런 분들일수록 더 행복하게 살아야 하는 거 아니냐?
근데 대체 왜 착한 사람만 힘들어져야 하는데!"

"많이 취하셨네요. 좀 주무세요."

"씨발! 좆같은 세상!"

쾅!

다시 차창을 친 오택수는 아내를 끌어안으며 달랬고,
종혁은 씁쓸히 웃었다.

'착하기에 힘들어지는 거지.'

부당한 것을 부당하다고 말할 수 없을 만큼 착하니까.

부당한 일을 저지르는 사람마저 배려할 만큼 착하니
까.

대체 어디서부터 잘못된 건지, 어디서부터 욕을 해야
되는지 알 수 없음에 종혁의 입안이 타고 남은 재를 삼킨
듯 써졌다.

그러는 사이 차는 다시 계곡에 도착했다.

"아빠 왔어? 애들은 잘 데려…… 아빠, 왜 그래? 무슨
일 있어? 엄마는 또 왜 그래? 엄마? 아빠?"

우중충한 둘의 모습에 장미는 당황했고, 고정숙은 무슨
일이 있었냐는 듯 종혁을 봤다.

"들어가서 설명해 드릴게요."

자신들밖에 없는 공간이지만, 이렇게 탁 트인 곳에서 말하기 힘든 이야기였다.

우울해져서 그런지, 아니면 좋은 야경 때문인지 평소보다 더 취한 오택수는 장미를 붙잡고 열변을 토했다.

"오장미, 너 이기적으로 살아야 한다. 정말 이기적으로 살아야 해!"

"뭐야, 언제는 착하게 살라며?"

"그러니까 착하면서 이기적으로!"

"엄마! 아빠가 이상한 말 해!"

"이번엔 아빠 말이 맞아. 새겨들어."

"어, 엄마?"

사정을 모르는 오장미만이 당황했고, 사정을 잘 아는 사람들은 씁쓸히 웃을 뿐이었다.

종혁은 어머니 고정숙의 손을 꼭 쥐었다.

"감사합니다, 어머니."

포기하지 않아 줘서.

그동안 얼마나 힘들었을지 다시 한번 와닿아서.

고맙고 또 고마웠다.

"앞으로 더 잘할게요."

"……어이구. 말만 그렇게 하지 말고, 행동으로 실천해 봐."

"하하."

"저도 잘할게요, 아주머니!"

"저도 잘하겠습네다!"

"어이구."

고정숙은 말만이라도 고맙다고 순희와 순철을 꼭 안아 주었고, 밤은 그렇게 깊어져 갔다.

찌르찌르 이름 모를 풀벌레가 울어 대는 늦은 밤.

"후우……."

한 손에 맥주캔을 손에 쥔 종혁의 입에서 담배 연기가 흩어진다.

"왜? 낯선 곳이라 잠이 안 와?"

"아, 아닙네다."

텐트 차양막이 만든 어둠 속에서 빠져나온 순철은 머뭇 거리다 종혁의 옆에 앉아 모닥불을 응시했다.

타닥타닥.

이젠 잔불만이 붉게 넘실거리는 모닥불.

"……감사합네다."

"뭐가?"

"모두 다."

종혁이 아니었다면 이런 호사를 누릴 수 있었을까.

종혁이 아니었다면 아마 지금 이 순간에도 언제 보위부 에 잡혀갈지 몰라 전전긍긍했을지 모른다.

잘못을 저지르지 않았어도 사람을 잡아가는 북한.

이렇게 아무 걱정 없이 살 수 있다는 건 정말 큰 축복 이었다.

오늘 들은 이야기만 봐도 그렇다.

'만약 순영 누이를 구하지 못했다면 어떻게 됐을까.'

아마 결국 태국 거리의 부랑아로 살게 됐을 것이다. 어쩌면 정찰총국에 잡혀가 교화소에 갇혔을 수도 있다.

뭐든 오늘 들은 고아원의 아이들보다 더 힘들고 처절하게 살았을 것이다.

그런 만약, 아마, 어쩌면을 구해 준 게 바로 종혁이다.

그러니 이젠 정해야 했다.

"뭔데? 할 말 있으면 에두르지 말고 직진하라."

갑작스런 북한말에 놀란 순철은 이내 분위기를 가볍게 하고자 하는 종혁의 마음을 알아차리곤 모닥불을 응시하며 말을 이었다.

"팀을 조직해 세계 해킹 대회에 나갈까 합네다."

종혁은 씁쓸히 웃으며 맥주를 들이켰다.

"결국 그쪽으로 가게?"

"한국말에 이런 말이 있잖습네까. 배운 게 도둑질이다."

"우리 철이도 한국 사람 다 됐네."

"이미 한국 사람입네다."

종혁이 힘을 써 주면서 바로 국적을 취득할 수 있었다.

"말이나 못하면……. 그래서? 커리어 쌓고 뭐하려고? 보안 회사라도 차리게?"

"큼. 그건 일단 대회들에서 짱 먹고 말하겠습네다."

"푸핫!"

짱이란 단어에 웃음을 터트린 종혁은 순철의 머리를 헤

집었다.

"무리하진 마. 너무 목표만 바라보고 맹목적으로 달리다 보면 넘어져 다칠 수도 있으니까."

"……감사합네다."

정말 고맙다. 언제나 어느 때나 이렇게 무조건적으로 응원하고 지지해 줘서.

이런 종혁을 만난 건 정말 큰 축복이었다.

'그러니 이제부턴 형님을 위해 살갔습네다.'

그동안 힘들어하는 종혁을 보고도 아무것도 할 수 없는 자신의 모습에 얼마나 무력함을 느꼈던가.

해킹 대회의 상을 휩쓰는 건 그를 위한 준비였다.

'두고 보시라요!'

종혁은 순영을 구할 때 이후로 처음 눈이 불타오르는 순철의 모습에 맥주캔을 따서 내밀었다.

"그럼 우리 철이의 입상을 위해 건배할까? 세계 재패를?"

"위하여!"

터억!

맥주캔이 부딪치는 소리가 깊어진 밤하늘에 울려 퍼졌다.

그렇게 휴가가 끝을 맺어 갔다.

* * *

-제4회 지방선거를 11일 앞둔 상황…….

치익!

택시 안 라디오 주파수가 돌아가며 다른 뉴스를 토해 낸다.

—입양의 날이 제정된 지 9일이 지난 현재 제4회 지방 선거 유세가…….

"여기도 선거, 저기도 선거네."

전국의 지방의회 의원 및 지방자치단체의 장을 뽑건 말 건 손님이나 탔으면 싶은 택시기사는 바로 옆 사람이 바 글바글 모인 유세 현장을 보며 침을 뱉었다.

"카악, 퉤! 저것들이 밥을 먹여 주는 것도 아니고. 누가 보면 총선인 줄 알겠네."

"아저씨, 건대입구 가나요?!"

"네! 갑니다! 타세요!"

택시기사가 차를 몰며 사라진 유세 현장, 유세가 막바 지에 접어 가며 열기가 더 뜨겁게 달아오른다.

—……합니다!

"와아아아아!"

"유세득! 유세득!"

한 서울시장 후보의 말에 열화와 같은 환호를 보내는 시민들.

이전 서울시장의 좋은 정책들 덕분에 더욱 살기 좋아진 서울이라서 사람들은 더 좋아질 서울을 기대하며 열렬한 지지를 보낸다.

하지만 모두 그런 것만은 아니었다.

'후욱! 후욱!'

유세를 지지하거나 구경 나온 사람들 사이에 숨은 한 오십대 장년인이 충혈된 눈으로 서울시장 후보를, 아니 그 옆에 선 장년 여성을 노려보며 숨을 고른다.

그런 그의 입에서 풍기는 술 냄새.

'개 같은 년. 어디 여자가……. 너 같은 것들 때문에 그년이 도망갔어, 알아?'

얼마 전 더 이상은 이렇게 못살겠다며, 당신만 아니었으면 나도 TV에 나오는 성공한 여성들처럼 됐을 거라며 아내가 이혼을 통보하고 떠나 버렸다.

그때 TV에 나온 게 저 여자다. 여성의 몸으로 국회의원이 된 것도 모자라 당의 높은 자리까지 오른 여자.

'군부 독재의 딸년 주제에!'

심란하게 중얼거리며 주머니를 만지는 그의 모습에 주위에 있던 사람들은 꺼림칙해했지만, 이내 서울시장 후보의 연설에 눈과 귀를 집중시킨다.

그렇게 시간이 얼마나 흘렀을까.

"와아아아아!"

길었던 유세도 드디어 끝을 맺으며 서울시장 후보는 다른 구로 유세를 가기 위해 지지자들과 단상에서 내려왔고, 거친 숨을 몰아쉬며 주머니를 만지작거리던 오십대 장년인도 발을 성큼 내디뎠다.

그때였다.

콱!

뒷목을 잡아채는 우악스런 손길.

"케엑?!"

불시의 기습을 당한 장년인은 허공을 붕 떴다가 엉덩방아를 찧었고, 그에 주위 사람들은 깜짝 놀랐다.

"아이고, 삼촌! 여기 계셨어? 한참 찾았잖아요. 일어나요, 일어나!"

"너, 넌 뭐야!"

장년인은 힘들게 일어나며 당황하고 짜증 가득한 표정을 지었고, 덩치가 큰 사내 종혁은 한숨을 내쉬었다.

"또 이러신다. 술을 얼마나 마셨기에 또 조카를 못 알아봐!"

"꺼져! 네가 무슨 내 조카야! 죽여……."

순간 주머니에서 빠져나오는 장년인의 손에 눈을 빛낸 종혁은 재빨리 장년인의 몸을 돌리며 그 목을 팔로 휘감았다.

"켁?!"

"꺅?!"

"힘 빼라. 모가지 부러진다."

장년인의 귀에 속삭인 종혁은 크게 외쳤다.

"아, 삼촌! 진짜 이러지 좀 마! 왜 조카를 나쁜 사람으로 만들어!"

"켁! 케엑! 케……."

버둥버둥 발버둥을 치다 끝내 눈이 뒤집어지며 축 늘어지는 장년인. 사람들은 헛숨을 삼키며 눈을 부릅뜬다.

"죄송합니다. 죄송합니다! 저희 삼촌이 술에 취하면 아무도 못 알아봐서요. 죄송합니다."

놀랐던 사람들은 이내 진정을 하며 혀를 찼고, 종혁은 장년인을 어깨에 들쳐 엎었다.

"그럼 수고들 하세요! 어우, 후보님 잘생기셨네!"

종혁은 사람들을 헤치며 유세 현장을 빠져나갔고, 그 잠시의 소란에 잠시 걸음을 멈춘 유세득 후보의 유세 지원을 나온 한 장년 여성은 멀어지는 종혁을 빤히 응시하였다.

"가시죠, 당대표님."

"……그러죠."

장년 여성은 이내 고개를 돌리며 유세 현장을 빠져나갔다.

"유세득! 유세득!"

"박정애! 박정애!"

시민들은 멀어지는 그들을 연호하며 더 나은 서울을 기대하였다.

한편 본청으로 돌아와 장년인을 유치장에 집어넣은 종혁은 아직까지 정신을 차리지 못하는 그를 차갑게 노려보며 담배를 물었다.

"씨발 새끼."

이 사람은 알까.

자신의 저지르려던 행동에 의해, 그 테러에 의해 이삼십대 청년들이 박정애라는 국회의원에 대해 알게 된다는 걸.

회귀 전, 이자에 의해 얼굴에 큰 상처를 입었으면서도 용서를 해 주며 대인배의 이미지를 가지게 된 박정애 의원.

대한민국 최초의 여자대통령.

'그리고 대한민국 헌정 사상 최초로 탄핵을 당한 대통령……'

결과론적으로 이자는 박정애 당대표를 대통령으로 만드는 데 제법 공을 올리게 되는 인물이라고 봐야 했다.

물론 그게 아니라도 범죄자는 잡아야 하는 것이지만 말이다.

"흠. 그 양반도 뒤를 파긴 해야 하는데."

종혁의 눈이 서늘하게 가라앉았다.

"최 팀장, 그놈은 뭔데?"

"술 깨면 내보낼 인간이요."

정확한 죄목은 상해 미수이긴 한데, 그걸 죄목으로 걸었다가는 언론이 냄새를 맡는다.

야당 당대표의 상해 미수. 전국이 떠들썩해질 것이다.

그렇기에 아쉬워도 여기서 접어야 했다.

'대충 잘 다독여 봐야지, 뭐.'

국회의원 상해가 얼마나 큰 죄인지 알게 된다면 아마 마음을 고쳐먹게 될 거다.

'그래도 못 알아먹는다면……'

눈빛이 더 서늘해진 종혁은 손을 저었다.

"신경 쓰지 마세요. ……응?"

띠리링! 띠리링!

갑자기 울리는 핸드폰을 확인한 종혁은 혀를 찼다.

"예, 원장님. 아이고, 돌려주실 필요 없다니까요. 저 돈 많다니까요? 벌써 사흘째 이러시는데 계속 이러시면 확 차량까지 후원해 드립니다? 뭐가 좋으세요? 승합차? 버스? 하하, 예. 끊을게요."

전화를 끊은 종혁은 의아해하는 김판호에게 그런 일이 있다고 일견하며 자리에 앉았고, 오택수와 최재수가 킬킬거리며 다가왔다.

"원장님?"

"예. 너무 부담된다네요. 확 정말 부담 줘 버릴까 보다."

"그러지 마라. 네가 부담 줘 버리면 서민들은 심장 멎는다."

"팀장님이 부담을 줘 버리면…… 어후."

"그러니까 여기서 그만두는 겁니다."

"뭘 그만두는 건가요?"

목소리가 들린 방향으로 고개를 돌린 종혁과 특별수사팀은 뚜벅뚜벅 안으로 들어오는 정용진 과장을 발견하곤 재빨리 몸을 일으켰다.

"충성!"

"멍!"

형사들은 대신 대답하는 덕자를 어이없다는 듯 바라봤

다. 이젠 제법 자라 강아지보다는 개의 티가 많이 나는 덕자.

정용진은 슬그머니 덕자의 주둥이를 막으며 미안하단 표정을 지었다.

"허흠. 상부에서 공문이 내려왔습니다."

종혁과 특별수사팀 형사들은 고개를 모로 기울였다.

"얼마 전 보건복지부에서 제정한 입양의 날에 대해 모두 잘 알겁니다."

더 의아해하던 그들은 뭔가를 눈치채곤 몸을 들썩였다.

"아니, 과장님! 그건 아니지라!"

"맞습니다! 본청 수사팀이 실태 조사라니요!"

입양아 및 입양 가정, 고아원에 대한 실태 조사.

현재 전국 경찰서 경찰 및 공무원들이 입양 가정과 고아원을 돌아다니며 실태 조사를 하고 있는데, 여기에 본청까지 끼어드는 건 인력 낭비였다.

게다가 지금 진행하고 있는 사건이 몇 개던가. 현 상황에서 인력을 빼 버리면 처음부터 다시 조사해야 되는 사건도 있었다.

그런 그들의 반발에 정용진은 한숨을 내쉬었다.

그라고 왜 기분이 좋겠는가. 하지만 청와대에서 내려온 공문이라 일개 과장이 거부할 수 있는 사안이 아니었다.

"저희 본청뿐만 아니라 서울청 및 각 지방청에서도 지원을 나가는 걸로 결정이 났으니 각 팀에서 한 명씩만 차

출해 주세요. 예, 최 팀장."

"저희 특별수사팀 말고도 다른 수사팀도 지원을 나가는 겁니까?"

"······그럼 수고들 해 주세요."

"아니, 과장님!"

그들은 즉각 반발했지만, 이미 내빼 버린 정용진을 잡을 수는 없었다.

"멍!"

후다닥!

"······아오, 씨불! 저걸 확 된장 발라 버릴 수도 없고! 여기서 한 명 빼면 어쩌자는 거여!"

"쯧. 어쩌겠습니까. 까라면 까야지. 누굴 뺄까요?"

"일단······."

짜악!

어쩔 수 없이 수긍을 하던 형사들이 종혁을 본다.

"특별수사팀에선 저희 1팀이 지원을 나가겠습니다. 인원도 딱 맞고, 어차피 업무에서 배제되어 맡는 사건도 없으니 이 참에 콧바람 좀 쐰다 생각하고 다녀오겠습니다."

"아따, 1팀장! 그라도 그게 아니제! 우째······."

"대신 비싼 거 얻어먹을 겁니다. 2팀, 3팀 합쳐서 사면 저 삐집니다."

움찔!

종혁에게 비싼 것이면 정말 비싼 것이기에 반사적으로 지갑 사정을 살폈던 김판호와 윤선빈은 이내 어쩔 수 없다는 듯, 고맙다는 듯 고개를 끄덕였다.

"이놈의 빚은 우째 깎일 생각을 안 한디야. 일단 부탁혀!"

"고마워. 부탁할게, 최 팀장!"

싱긋 웃은 종혁은 상의도 하지 않고 한 발표에 어리벙벙해하는 오택수와 최재수를 데리고 흡연실로 향했다.

"어차피 밖으로 돌아다닐 명분이 필요하잖아요."

JU그룹. 놈들이 도주할 시기가 슬슬 다가오고 있었다.

"아."

"와, 그 순간에 그걸 떠올리신 거예요? 팀장님은 진짜……."

혀를 내두르는 최재수의 모습에 키득 웃은 종혁은 눈빛을 가라앉혔다.

"아무튼 유치장의 저 양반이 깨어나면 바로 나갈 테니까 사건 자료 정리해서 챙기시고, 재수는 오피스텔 가서 속옷 좀 챙기고 있어."

"옙!"

최재수는 피우던 담배를 얼른 끄며 밖으로 달려 나갔고, 오택수는 종혁을 봤다.

"그래도 일하는 시늉은 해야 하지 않아? 흠, 거기 고아원 갈까?"

"아뇨."

종혁은 다급히 고개를 저었다.

"지금 가면 원장님 돈 뽑아 놓고 계실걸요."

"아…… 그러고도 남을 분이지, 참."

"그 고아원은 나중에 갑시다, 나중에."

아마 두 달 정도 뒤에 가면 후원금을 어느 정도 썼을 터. 그래야 서로 마음 편하게 이야기를 나눌 수 있었다.

고개를 끄덕인 그들은 마음을 놓으며 담배를 피우기 시작했다.

* * *

"우와!"

"와!"

예지를 보는 아이들의 눈이 동그래진다.

하늘색 원피스에 병아리처럼 샛노란 리본으로 머리를 묶은 예지. 마치 TV에서 나오는 드라마 속 부잣집 아이 같은 모습에 아이들의 눈에 부러움과 슬픔이 차오른다.

"히히. 예지 예뻐? 오빠, 예지 예뻐?"

언제나 자신의 손을 잡고 여기저기 돌아다니는 오빠, 박호연.

그래서 가장 먼저 자랑하고자 샤라라 한 바퀴 돌았는데……

"몰라! 가 버려!"

"오, 오빠?"

난생처음 보는 오빠의 모습에 충격을 받아 얼어붙은 예지의 눈에 그렁그렁 눈물이 맺힌다. 그런 예지의 볼을 원장님이 조심스레 쓸어내린다.

"우리 예지가 너무 예뻐서 호연이 오빠가 부끄러운가 봐."

"진짜요? 호연이 오빠, 예지 싫어진 거 아니에요?"

"그러엄. 호연이 오빠가 왜 예지를 싫어해. 누구보다 예지를 제일 좋아하는 게 호연이 오빤데."

"하, 하지만…… 이잉, 원장님!"

예지는 결국 원장에게 안기며 닭똥 같은 눈물을 뚝뚝 흘렸고, 원장은 젖어가는 앞섶에 찢어지는 가슴을 애써 추스렸다.

그녀도 보내고 싶지 않다.

어느 추운 겨울날, 포대기에 감싸진 채 고아원 앞에 버려져 있었던 예지. 버린 부모가 이름조차 붙여 주지 않아 그녀가 이름을 붙여 주었다.

그녀에게 예지는 가슴으로 낳은 딸이었다.

하지만 보내야 한다. 그게 예지가 더 행복하게 살 수 있는 길이기에 보내야 했다.

'입양의 날 제정으로 입양 장려금과 지원금이 대폭 늘었으니 예지를 입양하는 분도 경제적 부담이 덜어질 테지.'

입양이라는 훌륭한 결정을 하신 분들이니 돈이 없다고 예지를 구박할 리는 없겠지만, 그래도 곳간에서 인심이 난다고 했다.

그녀는 올바른 입양 문화를 위해 이런 결정을 내린 정부가 너무도 고마웠다.

"이제 곧 엄마랑 아빠 오실 텐데 우리 예지 뚝 해야지?"

"……뚝. 흐끅. 흐끅."

'어휴.'

원장은 엄마와 아빠란 말에 애써 울음을 멈추려는 예지
를 더 꽉 끌어안았다.

이제 곧 영원히 볼 수 없을 딸을 말이다.

'부모님께 예쁜 사랑받으며 행복하게 자라야 해, 예지야.'

이곳 고아원은 잊고 행복하게 살아갔으면 했다.

쿵쿵!

"원장님!"

"아, 오셨나 보다! 그럼 우리 예지 갈까? 모두에게 인
사해야지?"

"……안녕. 빠빠이."

"잘가."

"빠빠이."

나이가 어려도 이별은 아는지 힘없이 인사하는 아이들.

예지도 다시 울상이 된다.

하지만 그것도 잠시. 열리는 문을 통해 보이는 부모님
들의 모습에, 원장님이 등을 떠밈에 예지의 얼굴이 확 밝
아진다.

"안녕하세요! 김예지입니다! 6살!"

"……그래, 안녕?"

삼십대 초반, 젊은 부부가 예지를 보며 눈을 빛냈다.

4장. ⋯⋯달칵

......달칵

"다시 이런 일 생기면 그땐 정말 안 봐 드릴 테니까 술도 끊으시고요. 아셨어요?"

"네, 네."

"소환장 받았는데도 경찰서에 출두 안 하시면 제가 쫓아갈 겁니다. 제 전화 안 받으셔도 마찬가집니다."

"예, 예! 그, 그럼 가 보겠습니다."

술이 깨자 어수룩해진 장년인은 식은땀을 뻘뻘 흘리며 멀어졌고, 종혁과 오택수는 그 모습을 보며 혀를 찼다.

"훈방이겠지?"

"아무래도 그렇겠죠."

상해도 아니고 상해 미수다.

그것도 흉기를 꺼내기도 전에 종혁에게 검거가 됐고, 깊게 반성하는 모습도 보이기에 훈방 내지는 집행 유예로 끝나게 될 확률이 높았다.

실적에 정신 나간 검사가 사건을 배정받지만 않는다면 말이다.

"그보다 대체 넌 왜 거기 있었던 거냐?"

"말했잖아요. 마침 근처에 볼일이 있어서……."

"거기 갔다가 마침 선거 유세를 하기에 구경을 했는데, 정말 우연히 거동이 수상한 저 양반을 발견하고 제압부터 했다고? 그 말을 믿으라고?"

"네."

오택수는 일말의 망설임도 없이 고개를 끄덕이는 종혁의 뻔뻔한 모습에 헛웃음을 터트렸다.

"이건 뭐 진짜 자석도 아니고……."

그래도 이만하길 다행이다.

만약 저 남성이 선거 유세 지원을 나온 경찰들을 뚫고 박정애 의원에게 상처를 입혔다?

그땐 서울 경찰 전체가 뒤집어졌을 터.

그 지역 경찰서장뿐만 아니라 서울청장, 이택문 경찰청장의 목까지 줄줄이 날아갔을 것이다.

생각만 해도 아찔한 상황이었다.

'그러니 이놈도 그냥 상해 미수로 꾸민 거지.'

이건 언급조차 안 되는 게 맞았다.

'서울 경찰 전체가 이놈에게 목숨 빚을 졌네. 하, 이런 건 알려야 하는데. 그럼 징계의 수위가 낮아질 텐데…….'

"뭘 그렇게 생각합니까? 안 가요?"

"……그래. 가자, 가! 야, 그런데 이번 지방선거는 어떻게 생각하냐? 박빙이지 않냐?"

"박빙이죠."

회귀 전엔 보수당에서 개가 나와도 당선될 거라는 말이 나왔던 이번 지방선거. 그러나 현재의 양상은 달랐다.

종혁이 해결한 여러 사건들 때문에 진보 쪽이 살짝 우세한 상황이었다.

'진짜 어느 쪽이 과반을 차지할까?'

아무래도 지켜볼 맛이 있을 것 같았다.

"씨발? 생각해 보니 이거 다 우리 덕분 아니야? 한번 훈장 건의해 봐?"

"됐어요. 괜한 말 했다간 더 찍힙니다."

"그건 너 때문이잖아, 인마! 너 때문에!"

"얼씨구? 그럼 그동안 상여금 받은 건 누구 덕분인데요?"

둘은 투덕거리며 최재수가 있는 오피스텔을 향해 차를 몰았다.

* * *

뚜벅뚜벅.

점심시간이 지난 오후, 차들이 양측으로 주차된 골목길.

검은색의 수수한 단화를 신은 사십대 중반의 통통한 여

성이 옅은 향수 향기를 풍기며 걷고 있고, 종혁이 그 옆에서 따르고 있다.

일단은 실태 조사를 하는 시늉이라도 해야 됐기에 오택수, 최재수와 찢어진 종혁.

'흠. 이 동네 시세가 얼마였더라.'

"형사님, 혹시 결혼하셨어요?"

"아뇨. 아직 안 했습니다."

"어머, 왜? 이렇게 키 크고 몸 좋고, 능력까지 좋으신데? 주위에서 가만 놔둬요? 아, 경찰서라 여자들이 없나? 애인은 당연히 있죠?"

"하하. 아직은 생각이 없어서요."

"그건 좀 여자들에게 너무하다. 너무 빼면 여자들이 싫어…… 아니, 환갑이 돼도 여자에게 인기 많으실 텐데!"

"아하하하."

'수다가 많으시네.'

이곳까지 이동하는 와중에도 입을 쉬지 않고 놀린 그녀.

이런 부류의 사람은 맞장구를 쳐도, 치지 않아도 입이 쉬질 않기에 다루는 방법은 한 가지다.

"제가 조심해야 될 건 없습니까?"

순간 여성의 눈이 빛났다.

"……성격까지 좋으신 분이네요. 오케이, 합격. 내 애인 할래요?"

"네?"

"호호호호! 농담이에요, 농담. 딱히 주의할 건 없는데,

입양이라는 단어만 주의해 주세요. 아이들 모두 부모님이 양부양모인 걸 모르니까."

그녀의 목소리가 진지해지자 종혁은 고개를 끄덕였다.

"그 정도는 유념하고 있으니 너무 걱정 마세요. 그보다 지금 가야 할 가정의 남편분과 아내분의 직업이 어떻게 됩니까? 아이 나이는요?"

"그건 왜요?"

"그래야 저도 나름 판단을 할 수 있을 테니까요."

그녀의 눈빛이 묘해진다.

"……아휴. 이거 너무 욕심나서 어쩌지? 남편분은 비뇨기과 의사시고, 아내분은 산부인과 간호사예요. 아이는 올해 5살. 글쎄 대학병원에서 인턴 때 눈이 맞았대요. 대학병원 눈코 뜰 새 없이 바쁘다더니 다 거짓말인 것 같지 않아요?"

종혁은 뜨악했다.

"비뇨기과 의사에 산부인과 간호사신데 입…… 아니, 그걸 하셨다고요?"

"에휴. 어쩌겠어요. 삼신할머니가 점지를 안 해 주시는데."

"쯧. 이래서 아기는 하늘이 점지해 준다 말하는가 보군요."

"어휴. 진짜 왜 이렇게 마음에 들지? 잘생겨서 그런가?"

"그런 기본도 묻지 않는 게 더 이상하지 않을까요?"

"……그렇죠. 그게 이상하죠."

"음?"

종혁은 그녀의 갑작스런 변화에 의아해했다.

"아, 여기예요. 여기."

한 주택을 가리킨 그녀는 냉큼 초인종을 눌렀다.

삐리리, 삐리리리리!

뻐꾸기 새소리를 내며 울어 대는 초인종 소리와 동시에 주택 안에서 우당탕 거친 소리가 흘러나온다.

-네, 네! 누구세요?

"어머니! 저예요, 김향기!"

-버, 벌써 오셨어요?! 자, 잠시만요! 진짜 잠시만요?

다시 쿠당탕 소리가 들리는 주택.

공무원 김향기는 싱긋 웃으며 종혁을 봤다.

"담배 태우시려면 태우셔도 돼요. 아마 한 10분 정도 걸릴 테니까."

"예, 그럼."

몇 발 물러난 종혁은 담배를 물며 2층짜리 주택을 가만히 응시했다.

그동안 많은 아동 범죄를 접해 봤지만, 입양 가정은 처음이기에 눈에 밟히는 모든 걸 빠르게 스캔하는 종혁.

'일단 겉으로는 여타 다른 집들과 다를 게 없네.'

중요한 건 집안 내부다.

종혁은 눈을 가늘게 떴다.

"후우우."

-드, 들어오세요!

띠이!

"들어가요, 형사님!"

"아, 예."

종혁은 활짝 열리는 문 안으로 들어갔다.

여름이라 잡초가 무성한 작은 정원을 지나 주택 안으로 들어가니, 땀으로 범벅을 한 삼십대 중반의 여성이 발그레 상기된 얼굴로 그들을 맞이한다.

"헉헉! 오셨어요······?"

"어머, 내 정신 좀 봐. 정신이 어머님, 이번에 그날이 재정된 거 아시죠? 그래서 따라오신 경찰분이세요."

"그 인터넷으로 신고하는 사이트 아시죠? 그 사이트를 관리감독하는 간편신고관리과의 형사인데, 쉽게 민원 업무를 상담하는 공무원이라고 생각하시면 됩니다. 최종혁입니다."

"아······ 그래요? 아참, 내 정신 좀 봐! 안으로 들어오세요."

한결 표정이 누그러진 여성은 그들을 안으로 안내했고, 종혁은 빠르게 거실을 스캔했다.

'카펫과 장난감 박스 두 개, 그리고 미끄럼틀과 동화책.'

한구석에 양주 등 고급술이나 담금주 등이 전시된 진열장과 소파를 제외하면 이 넓은 거실은 오직 아이들만을 위해 꾸며진 공간이라고 할 수 있었다.

'그런데 너저분하네.'

나름 치운다고 치운 것 같지만 여기저기에 장난감이 널브러져 있고, 책도 제대로 정리되어 있지 않다. 심지어 구겨진 양말도 보이고, 방금 전 방향제를 뿌린 건지 냄새가 독했다.

그러는 사이 여성이 음료를 쟁반에 받혀 들고 나오자 종혁은 냉큼 촉촉한 바닥에 앉았다.

"오늘 오시는 줄 알았다면 더 좋을 걸 사 놨을 텐데."

"아니에요. 미리 말씀드리지 못한 제 잘못이죠. 그보다 정신이는 잘 크죠?"

"네! 잘 크고 있어요! ……너무 잘 커서 문제지만."

순간 여성의 얼굴이 10년은 늙어 버렸고, 종혁은 자신이 이 집의 아이가 아님에도 슬그머니 고개를 돌렸다.

비록 종혁이 애를 가진 부모는 아니지만, 7살 사내아이가 어떤지는 잘 알고 있기 때문이다.

그 모습에 김향기가 자지러지듯 웃는다.

"호호호! 7살 사내아이가 쉽지 않죠?"

그 말에 여성의 눈이 마치 그 말을 기다렸다는 것처럼 번뜩인다.

"사내애는 원래 그래요? 시어머니께 물으니까 제 남편은 엄청 조용했다는데……."

"그래요? 그럴 리가 없을 텐데?"

"그렇죠? 그런 게 아니죠?!"

음료를 들이켠 종혁은 슬그머니 몸을 일으켰다.

'짜식이 적당히 좀 휘젓고 다니지.'

이리저리 뛰어다닌다고, 나무에서도 떨어져 보고, 피 좀 흘려 봐야 사내아이라지만 그래도 정도가 있는 법이다.

"그런데 정신이가 유치원에서 어땠다고요?"

"아, 정신이가요!"

아이의 이야기로 한순간에 수다 삼매경에 빠진 두 사람.

종혁은 그녀들을 바라보며 피식 웃음을 흘리고는 이내 집 안의 풍경을 쓱 훑었다.

'흐음……'

"안녕히 가세요!"

"빠빠이!"

실태 조사 도중 하원을 한 남자아이에게까지 배웅을 받으며 집을 나선 김향기는 종혁을 향해 입을 열었다.

"어떻게 보셨나요?"

"평범한 맞벌이 부부의 집이더군요. 그것도 굉장히 바쁜."

방금 전 설거지를 한 듯 물기가 가득한 싱크대와 그릇들, 찌개가 넘친 흔적이 가득한 가스레인지 위의 냄비, 온갖 것들이 처박힌 냉장고.

정말 평범한 맞벌이 부부가 있는 집의 풍경이었다.

"와아. 관찰력이……"

"다만 어머님께서 스트레스를 많이 받으시는 것 같더군요."

"……네?"

신경성 두통이 있는지 이야기를 하는 동안 가끔씩 미간을 좁히며 뒷목과 관자놀이를 눌렀다.

"심각할 정도는 아니신 거 같은데, 휴식이 필요해 보이시더라고요. 역시 일과 육아를 병행하는 건 힘든가 봐요."

"어머, 어머!"

"왜 그러세요?"

"대화를 나누시면서 그런 것도 살펴보신 거예요?"

"형사라면 기본이죠. 전 저보다 김 주사님이 대단하시던 걸요?"

"네? 제가요?"

"정신이란 아이가 뭘 했는지에 대해 계속 질문을 던지셨잖아요."

정신이란 아이가 현재 어떤 상황에 처해 있는지 그녀 나름대로, 아니 꽤 영리하게 돌려 질문하며 확인을 한 거다.

웬만한 사람들로선 쉽게 따라 할 수 없는 화법이었다.

이런 종혁의 말에 눈을 동그랗게 떴던 김향기는 이내 씁쓸하게 웃었다. 그녀는 잠시 멈추며 하늘을 응시했다.

"형사님, 혹시 입양된 아이들 중 약 20퍼센트가 2년도 채 지나지 않아 파양되는 거 아시나요? 심지어 이것도 굉장히 낙관적으로 낸 통계인데도 말이죠."

"……파양이 아닌 가출로 집계되는 부분이 있어서겠죠."

"아, 아시네요?"

파양은 특별한 사유가 없는 한 불가능하다. 양자가 미성년자일 경우엔 더더욱 그렇고 말이다.

그에 파양 절차를 밟지 않고 그냥 아이를 내쫓는 경우가 이 당시엔 종종 있었다.

문제는 그럼에도 이렇게 파양률이 높다는 점이었다. 종혁도 이 정도로 높을 거라곤 생각하지 못했다.

종혁은 그녀의 눈에 서글픔이 맺히자 화제를 돌렸다.

"그런데 왜 계속 정신이의 행동에 대해 물어보신 겁니까?"

단순히 아이가 어떻게 지내는지 묻고자 함은 결코 아니었다.

"……파양하는 부모들이 말하는 이유 중 가장 많은 게 그거거든요."

시도 때도 없이 울어 대거나, 집을 난장판으로 만들거나, 말을 듣지 않는 등 아기와 아이라면 당연한 일을 받아들이지 못하는 거다.

"……하, 그럴 거면 차라리 개를 키우지."

종혁은 반사적으로 담배를 찾았다.

"동감이에요. 나쁜 사람들."

"그러면 태기가 있냐고 물어본 이유도 혹시?"

김향기는 고개를 끄덕였다.

오랫동안 아이가 없어 입양을 했는데, 아이가 생긴 경우. 그게 파양을 하는 두 번째로 많은 이유였다.

"거의 이 두 가지 이유로 파양이 돼요."

'진짜 씨발이네.'

"그럼 보건복지부에선 부모에 대한 인성 조사 같은 건 안 하는…… 의미 없겠네요. 빌어먹을."

어제까지만 해도 천사였는데, 내일이면 악마로 변하는 게 사람이다.

"호호. 그래도 예전보다는 훨씬 좋아졌어요. 국내 입양률이 높아졌거든요."

"확실히 이번 입양의 날을 재정한 데는 그런 이유도 있었죠."

"이왕이면 해외보단 국내가 좋으니까요."

잔인한 말이지만, 해외로 입양되면 인종 문제도 겪어야 한다. 그런 의미로 보면 국내가 낫긴 했다.

국내에도 입양아를 좋지 않게 바라보는 시선은 있지만 말이다.

'그건 아마 예지도 마찬가지겠지.'

이번에 성격도 좋고, 직업도 좋은 부부에게 입양이 됐다는 예지.

그동안 아이가 없던 부부에게 갑자기 6살 아이가 나타났다. 주위 시선이 어떨지는 안 봐도 비디오였다.

'조만간 연락해 봐야겠네.'

고개를 끄덕인 종혁은 푸근히 웃었다.

"그렇겠죠. 김 주사님 같은 분께서 이렇게 케어를 해 주는데, 해외보다는 국내가 낫지 않겠습니까?"

"어머머. 그렇게 아부하셔도 아무것도 안 나와요. 저는 평균이에요, 평균. 이 정도도 못하면 어떻게 사회복지 담당이라고 할 수 있겠어요?"

"무얼 바라고 한 말은 아닌데요?"

"희한하네. 진짜 왜 여자친구가 없지? 말해 봐요. 성격에 무슨 문제 있는 거 아니죠?"

"하하. 그럼 다음 집으로 가시죠!"

둘은 도란도란 이야기를 나누며 다음 입양 가정으로 향했다.

* * *

나름 깔끔하게 꾸며진 20평대의 작은 맨션.

한 삼십대 여성이 예지 앞에 쪼그려 앉아 입을 연다.

"김미나, 이따가 어떤 아저씨가 오면 뭐부터 해야 한다고 했지?"

"인사를 해야 한다고 했어요. 안녕하세요, 김예⋯⋯ 아, 아니 김미나입니다! 6살!"

여성의 눈이 살짝 일그러졌다가 펴진다.

"⋯⋯자는 곳은?"

"안방!"

"오늘 아침에 먹은 건?"

"된장국, 계란, 소시지!"

"어제 저녁으로⋯⋯."

"아, 그만 좀 해라. 그렇게 안 해도 된다니까?"

"야! 내가 나 좋자고 하는 거야?! 그리고 곧 담당관 올 텐데 아직까지 추리닝 입고 있으면 어떡해! 지금 백수티 내는 거야, 뭐야!"

"아, 씨발. 알았다고!"

쾅!

사내는 안방 문을 닫으며 들어갔고, 여성은 귀를 막고 있는 예지의 팔을 거칠게 끌어내리며 어깨를 잡았다.

"다시 점검해 보자. 내 이름이 뭐야?"

"이선경!"

"이선경입니다지!"

"이선경입니다!"

띵동!

"왔다! 김미나, 너 이 아줌마가 가르친 거 말고 다른 말 하면 아주 혼날 줄 알아. 알았어?"

"……네."

"좋았어."

만족스럽게 고개를 끄덕인 여성은 엉덩이를 씰룩이며 현관문으로 걸어갔고, 순간 예지의 입술이 축 처지며 들썩였다.

하지만 울면 안 된다.

'울면 안 돼. 울면 또…….'

띠리릭!

"어머. 어서 오세요. 호호호!"

"안녕하세요, 어머님! 우리 꼬마 아가씨도 안녕?"

"아, 안녕하세요! 김미나입니다! 6살!"

양손가락을 펴서 숫자 6을 만드는 예지의 손길엔 다급함이 서려 있었다.

* * *

"네, 수고하셨습니다."

질의응답 서류를 정리한 남성이 따라 일어서는 예지의 법적 모친인 이선경을 향해 푸근히 웃는다.

그런데 그 눈 깊숙한 곳에 안쓰러움이 스친다.

"참 대단한 분들이십니다, 어머님과 아버님은."

사고로 아이를 잃은 후 그 충격에서 벗어나자마자 입양을 결정했던 이선경 부부. 그런데 그 입양된 아이도 사고로 잃었다.

보통 사람이라면 벌써 폐인이 됐을 텐데, 이렇게 또 입양을 결정하였다. 강화된 입양 절차에 아버님은 대기업으로 이직을 했다. 정말 하늘이 내려 주신 천사들이라고 할 수 있었다.

"……뭘요. 아, 이건 가시면서 동료분들과 목이라도 축이세요."

"어이구, 뭘 이런 걸 다. 감사합니다. 꼬마 아가씨도 또 봐요?"

"아, 안녕히 가세요!"

띠리릭!

문이 닫히자 나긋나긋 웃던 이선경의 눈이 표독스러워진다.

그녀는 방금 담당자에게 준 돈을 아까워하는 남편을 노려봤다.

"야, 이 화상아. 내가 말실수하지 말랬지! 뭐? 현대? 현대는 어디에 있는 회사니!"

얼른 대현으로 바꿔서 다행이지 아니었다면 큰일 날 뻔했다.

"아하하. 그, 그보다 거봐! 그렇게까지 유난 떨지 않아도 잘 넘어간다고 했잖아!"

"닥쳐! 어휴. 내가 너 때문에 아주 늙는다, 늙어. 얼굴만 잘생기지 않았어도……."

"으흐흐. 얼굴만 잘생겼어?"

순간 다가오는 남편의 모습에, 오랜만에 멀끔하게 정장을 차려입은 그 모습에 이선경의 볼이 발그레 붉어진다.

"미, 미나는 방으로 들어가. 아, 그리고 미나야."

"네?"

"잘했어. 우리가 미나를 사랑해서 데려온 거 알지?"

"……네!"

날카로운 눈매에 퍼지는 따뜻한 미소.

며칠 전 고아원에 자신을 데려왔을 때 짓던 그 미소.

너무 기뻐 발음이 센 예지는 부엌 옆 작은 방으로 향했고, 이선경은 남편의 묘한 눈빛에 한숨을 내쉬었다.

"어휴. 네가 애 키우는 것에 대해 알긴 아니?"

"애 키우는 건 몰라도 이건 잘 알지?"

슬그머니 엉덩이를 쥐는 억센 손길.

"흑! 어, 얼른 안방으로 가."

"왜? 여기가 더 좋지 않아?"

"……미친놈."

"싫어?"

"아니, 좋아."

이선경은 다급히 남편의 얼굴을 잡으며 입술을 들이밀었고, 뜨겁고도 농후하게 퍼지는 신음 소리에 작은 방에 앉은 예지는 슬그머니 양 귀를 막았다.

'나도 좋아해요, 엄마.'

처음 만났을 때와 달리 무서워졌지만 엄마, 아빠라서 좋았다.

자신에게도 엄마, 아빠가 생겨서 좋았다.

예지의 입가에 미소가 번졌다.

* * *

"으음."

창문을 통해 쏟아지는 햇빛에 이선경의 남편이 눈을 떠 옆을 본다. 돌아누운 채 자고 있는 이선경이 둥실한 엉덩이와 매끈한 허벅지를 드러내고 있다.

순간 남편의 눈에 음흉한 웃음이 번진다.

짝!

손에 감기는 탄탄한 엉덩이의 감촉.

남편은 침대에서 내려와 화장실로 향했고, 미소를 지으며 눈을 뜬 이선경은 부엌 옆 작은 방으로 향했다.

달칵!

"일어났니?"

"아, 안녕히 주무셨어요."

이불까지 개어 놓고 배꼽인사를 하는 예지.

"나와."

얼른 발을 떼는 예지의 손을 잡아끈 이선경은 예지를 부엌 앞에 세우며 입을 열었다.

"네가 이 집에 온 지 얼마나 됐지?"

"네?"

숫자가 약한 예지가 손가락을 꼼지락거리며 허둥지둥 접는다.

"유, 육 일이요!"

"그래. 벌써 6일이나 됐네. 이제 이 집에 대충 적응한 것 같으니까 이 집의 룰을 알려 줄 거야. 그동안 내가 가르친 게 뭐지?"

"어…… 음. 7시에 일어나야 한다. 자기 이불은 자기가 개야 한다. 자기 옷은 자기가 입어야 한다. 엄마, 아빠 설거지를 해야 한다. 만나면 인사. 청소는 아침 10시!"

"……잘 외우고 있네."

퉁명스럽고 낮은 말투에 예지의 입가에 미소가 번진다.

"그럼 이제 한 가지 더 가르쳐 줄 거야. 앞으로 우리가 일어나기 전에 네가 해야 될 일이지.”

“네!”

가르쳐 주는 걸 잘 해낼수록 엄마가 좋아하기에 힘차게 고개를 끄덕인 예지는 이 집에 온 첫날에 배운 것처럼 의자를 싱크대 앞에 가져다 놓았다.

“오늘은 처음이라서 시범을 보일 건데, 다음부터는 네가…… 뭐야, 왜 없어? 칫. 어쩔 수 없나?”

냉장고를 연 이선경은 계란을 싱크대에 던지고, 가스레인지에 불을 켰다.

“잘 보고 외워. 태우면 혼날 테니까.”

촤르르르르!

뜨거운 기름에서 튀겨지듯 익어 가는 계란. 고아원에선 쉽게 볼 수 없는 계란이라서 예지의 침이 꼴깍 넘어간다.

“못 먹고 자란 티를 내는 것도 아니고.”

혀를 찬 이선경은 움찔 몸을 굳히는 예지를 외면하며 큰 대접에 밥을 푸고 계란과 참치를 얹은 후 간장과 참기름을 끼얹었다.

“후우. 시원…… 음, 계란 냄새.”

“다 씻었으면 얼른 밥 먹어.”

“뭐야, 간장계란밥이야? 나 오늘 첫 출근인데?”

“저녁에 맛있는 거 해 줄 테니까 얼른 먹기나 해.”

“그냥 차라리 외식하자.”

“돈은 있니?”

입을 다문 남편은 뚱한 얼굴로 식탁에 앉았고, 이선경

도 싱크대 앞에 세워 둔 의자를 가져와 앉았다. 예지도 얼른 숟가락을 들고 걸어오다 매서운 이선경의 눈빛에 멈춰 서야 했다.

"내가 뭐라고 했지?"

"어, 엄마, 아빠 밥 드신 후에 미, 미나가 먹고 치운다."

"왜?"

"의자가 두 개라서……."

"기다려."

매정히 일견한 이선경은 간장이 끼얹어진 계란을 콱콱 누르며 밥을 비볐고, 예지는 그 모습을 처량히 쳐다보았다.

이윽고 밥을 다 먹은 이선경과 남편은 몸을 일으켰고, 예지는 냉큼 이선경이 앉은 자리에 기어 올라가 앉았다가 낙담했다.

깔끔하게 비워진 그릇.

'나두 계란…….'

먹고 싶었다. 하지만 먹을 수가 없었다.

─나중에 우리 예지도 엄마, 아빠가 생기면 엄마, 아빠 말 잘 듣고 하지 말라는 건 하지 말고, 시키지 않는 것도 하면 안 돼. 그래야 예쁜 아이가 되는 거예요. 알았지?

원장님이 언제나 하시던 말씀.

예지는 입술을 꿈틀거리다 식탁 위 밥통을 열어 밥을 퍼 맨밥에 참치와 김치를 반찬 삼아 수저를 뜨기 시작했다.

쏴아아아! 달그락, 달그락.

설거지 소리가 울리는 집.

"으이그. 넥타이 하나 제대로 못 매니? 이리 줘 봐."

"흐흐. 나 진짜 우리 선경이 없으면 어떡하냐."

"흥. 아부해도 나오는 거 없거든?"

비실 웃으며 목을 맡긴 남편은 부엌의 풍경을 보곤 입술을 비틀었다.

"쟤는 똘똘하네."

"내가 어련히 잘 골랐겠어?"

"네, 네. 알아서 모십죠."

"다 됐다. 그럼 다녀와. 또 성질 못 이겨서 사고 치지 말고. 쟤 데려오기 위해 취직한 거라지만, 이왕 취직한 거 잘해야지 않겠어?"

"잔소리는 그만 좀 해라. 그럼 다녀올게."

"조심히 다녀와!"

띠리릭! 쿵!

문이 닫히자 이선경의 눈썹이 하늘로 솟았다.

그녀는 쿵쿵 부엌으로 향했다.

"넌 아빠가 가는데 인사도 안하고 뭐하니!"

"헉!"

"늦었어! 어서 옷이나 입어! 장 보러 가야 하니까!"

"네, 네!"

냉큼 방으로 들어간 예지는 옷을 입고 나왔고, 그런 그녀를 위아래로 살핀 이선경은 콧방귀를 뀌며 손을 내밀었다.

"손."

"네? 네!"

고아원에서 떠날 때 잡은 것을 빼면 처음으로 잡는 손. 여전히 차갑지만, 예지에겐 세상 그 무엇보다 따뜻했다.

그렇게 집을 나선 둘은 맨션 단지 근처의 마트로 향했다.

"어머, 선경 동생! 걔가 이번에 걔야?"

"호호! 네! 우리 딸 예쁘죠?"

"하이구, 예뻐라. 아가야, 이름이 뭐야?"

"김미나입니다. 6살!"

"호호호. 똘똘하기도 하지. 그런데 어디 가?"

"마트에 장 보러 가요. 제가 바쁠 땐 미나가 대신 심부름을 가야 할 텐데, 어디로 가야 하는지는 알려 줘야죠."

"……가만 보면 선경 동생은 참 그런 거 잘 가르쳐. 내 새끼는 10살이나 됐는데도 아직 심부름 하나 잘 못 가는데. 비법이라도 있어?"

"비법은요. 미나가 영특해서 가르치는 거죠."

그녀를 불러 세운 삼십대 후반 여성이 부러워하자 슬쩍 콧대를 세운 이선경은 이별을 고하며 가던 길을 갔다.

"귀찮은 년."

"네?"

못 들어서 눈을 깜빡이는 예지.

이선경은 대답 대신 손을 낚아채듯 끌며 마트로 향했다.

그때였다.

"꺄르르르르!"

"와아아아!"

꾀꼬리 재잘대는 것처럼 예쁜 소리들이 울리는 놀이터.

이사하기 전의 고아원에 살 때도 보지 못했던 놀이터의 모습에 예지의 시선이 뺏긴다.

모래 바닥과 놀이기구를 뛰어다니며 웃음을 터트리는 아이들과 벤치에 앉아 도란도란 이야기를 나누는 아줌마들.

예지의 걸음이 점점 느려진다.

"뭘 보고…… 어휴, 진짜. 얼른 안 와?"

"윽! 네!"

끌려가면서도 예지의 시선은 놀이터에서 떨어질 줄 몰랐다.

한편 어느 허름한 건물의 앞에 선 이선경의 남편은 1층 PC방 간판을 보며 숨을 가다듬는다.

이곳이다. 앞으로 자신이 일을 해야 할 곳이 말이다.

"씨발, 쫄 거 없어. 다 아는 형님들이잖아."

그리고 원래대로 따지면 자신은 이미 1년 전부터 이 회사의 사원으로 등록이 되어 있었다. 아는 형님이 명의를 좀 빌려 달라고 해서 빌려준 것이지만 말이다. 그 대가로 다달이 용돈을 받았으니 불만은 없었다.

그러다 예지를 데려오기 위해선 일하는 모습을 검사받아야 하기에 딱 한 번 출근을 했는데, 그게 운 때가 맞은 건지 이번에 일손이 부족하다고 불러 주었다.

'원래는 저기 2층이었는데…….'

뭘 하는지 모르지만, 지금도 2층에선 사무실이 운영되는 걸로 알고 있다.

"……됐어. 신경 써서 뭐해."

어차피 자신과는 관계없는 일이었다.

심부름 같은 잡일만 해 주면 월급을 준다고 했으니 그것만 받으면 장땡이었다.

심호흡을 한 그는 1층 PC방 문을 활짝 열며 안으로 들어갔다.

"안녕하십니까!"

타다라라라락!

"아, 씨발. 뭐하냐! 매도 안 하냐? 호가 상승하잖아!"

"좆까. 아침 장 열리면 호가 상승하는 걸 아직도 모르냐, 빡대가리야?"

시끄럽게 떠들며 컴퓨터를 두드리는 7명의 사내들.

뭘 하는지 짐작이 안 갈 정도로 난생처음 보는 광경에 이선경의 남편은 어리벙벙해질 수밖에 없었다.

"어, 왔어? 이리와!"

"예, 예!"

이선경의 남편은 냉큼 안쪽에 있는 덩치 큰 사내에게 다가갔다.

한때 조폭이었던 아는 형님.

"좀 너저분하지? 전에 말한 것처럼 쟤들이 필요하다는 걸 가져다주는 게 네 일이거든? 담배나 맥주 따위를 사다 주고 청소만 하면 되는 거야."

그렇게 하루 7시간, 일주일에 5일만 일하면 월 150만 원이다.

'와씨. 놀고먹으면서 150만 원?'

아무리 일하기 싫다지만 이런 걸 안 할 수는 없었다.

"그때 그 담당관인가 뭐시긴가 온다고 했을 때 너 일하는 모습 보고 사장님이 괜찮을 것 같다고 해서 어렵게 만든 자리니까 사고 치지 마라. 어디 가서 여기 이야기는 하지 말고."

"가, 감사합니다, 형님!"

"과장님이라고 불러, 새꺄. 그런데 그건 뭐냐, 대체."

"제, 제 아내가 아이를 좋아해서요. 그런데 배 아픈 건 싫다 하고……."

"음? 흠."

남편의 눈을 본 덩치는 고개를 끄덕였다.

'뭐 사고만 안 치면 되지.'

"씨벌, 여자가 지랄을 하네. 알았어. 앞으로 잘해 보자, 김 대리."

"예, 예! 과장님!"

대리.

허리를 깊이 숙인 남편의 입술이 파르르 떨렸다.

* * *

"김종학, 이선경 부부."

1994년 8월 둘 모두 20살에 결혼해 그해 유산.

1997년 어렵사리 딸을 출산했지만, 1999년에 횡단보도를 건너던 중 교통사고로 사망.

2002년, 3살 된 여자아이를 입양하였지만…….

"2004년 교통사고로 사망……."

이다음이 예지다.

"미친. 아니, 뭘……."

하늘이 미워해도 이렇게 미워할 수 있을까.

거기다 두 부부에게서 묘한 집착이 느껴진다.

3살 때 딸을 잃은 부부가 3살이 난 여자아이를 입양하였다가 6살 때 사망을 하니, 6살 된 여자아이를 입양했다.

"슬픈 집착을 하는 건가……."

처음 김향기와 들렀던 집 다음으로 들른 집이 딱 이랬다.

죽은 자식을 입양아에게 투영시키며 키우던 부모들.

이름도 똑같이 지어 주고, 옷도 죽은 아이가 입던 걸 입혔으며, 죽은 아이가 좋아하던 걸 먹였다.

참 몹쓸 짓이었다.

그런데 이런 일은 비단 입양 가정에만 일어나는 게 아니다.

자식을 잃어버린 부모가 다른 자식에게 떠나보낸 자식을 투영시키며 키우는 케이스를 종혁은 제법 겪은 적이 있다.

'그 결론은 세 가지지.'

가출 혹은 현실을 깨달은 부모의 자살, 그리고 존속 살인.

"아니야."

아직 확실하지가 않다. 자료만 보고 확신을 하는 건 금물이었다.

찰칵, 치이익!

"후우우. 쯧."

씁쓸해진 입안 때문인지 담배 맛도 써서 그냥 꺼 버린 종혁은 차에서 내려 등록된 주소지로 향했다.

"좋아하겠지."

그 나이 또래 여자아이가 좋아할 선물이 담긴 종이백을 두드린 종혁은 하얀 저층 맨션들이 가득한 맨션 단지를 거침없이 걸었다.

"꺄르르르!"

"이번엔 내 차례란 말이야!"

활발한 아이들의 웃음소리에 종혁의 고개가 절로 돌아간다.

"어이구."

PC방이고, 오락실이고 주위에 널려 있는데 놀이터에서 뛰어노는 모습을 보니 절로 흐뭇해진다.

"그래, 너희 나이면 그렇게 뛰어놀아야 맞는 거지."

그러다 정글짐에서 떨어져 뼈도 부러져 보고, 그네에서 떨어져 코피도 흘려 봐야 건강하게 크는 거다.

"음음. 잘하고…… 응?"

종혁은 놀이터 한구석을 보며 눈을 껌뻑였다.

"예지?"

놀이터 한구석 화장실 옆에 쪼그려 앉아 놀이기구를 타는 아이들을 부럽다는 듯 쳐다보는 예지.

종혁은 다급히 예지에게 다가갔다.

"예지야?"

움찔!

몸이 크게 흔들린 예지의 눈이 느릿하게 돌려지다 종혁에게 고정된다.

짧지만 아주 긴 시간이었던 침묵.

예지의 눈이 흔들리며 흐려지기 시작한다.

"……흐에에에엥!"

까득!

종혁은 자신을 보자마자 울음을 터트리는 예지의 모습에 이를 악물었다.

* * *

예지가 울음을 터트리기 몇 시간 전, 이선경의 손을 잡은 채 마트에서 나온 예지의 걸음이 다시 느려진다.

여전히 놀이터에서 신이 나게 뛰어노는 아이들.

같이 놀고 싶다. 미끄럼틀을 타고 싶다.

그 작은 욕심이 다시 예지의 발을 붙들었다.

예지는 용기를 내어 물었다.

"어, 엄마. 놀이터에서 놀아도 돼요?"

"뭐?"

순간 차가워진 이선경의 눈이 예지를 가만히 응시한다.

"노, 놀이터에서 놀고……."

"……쳤나. 헛소리 말고 따라와."

확 잡아끌리는 몸에 그제야 정신을 차린 예지의 얼굴이 하얗게 질린다.

"자, 잘못……."

"따라와."

예지의 손을 잡아끌며 집으로 도착한 이선경은 내던지듯 예지를 거실로 밀쳤다.

"악!"

"김미나, 엄마가 잘못하면 어떻게 된다고 했지?"

혼이 난다. 반사적으로 베란다를 본 예지는 경기를 일으켰다.

"힉! 자, 잘못했어요! 엄마, 잘못했어요!"

"흥. 늦었어."

다시 예지를 잡은 이선경은 베란다로 향했다.

예지는 더 크게 울며 힘주어 버텼지만, 6살 아이가 성인의 힘을 이겨 낼 수는 없었다.

결국 베란다 화장실에 내동댕이쳐지며 변기에 부딪친

예지.

"거기서 내일까지 반성하고 있어."

"엄마! 엄마! 미나가 잘모해써여! 다시……."

텅! 쾅쾅쾅!

"엄마! 엄마!"

꽈앙!

"힉!"

깜짝 놀란 예지는 그대로 굳어 버렸고, 화장실 문을 걸어찬 이선경은 조용해진 소음에 짜증이 가득 담긴 혀를 차며 돌아섰다.

"이래서 애들은 풀어 주면 안 된다니까."

꽝!

이선경은 베란다 문을 닫으며 거실로 향했고, 남겨진 예지는 필사적으로 울음이 터지려는 몸을 감쌌다.

울면 안 된다. 울면 더 혼난다.

"우, 울면 나쁜 아이."

울면 엄마가 예지를 더 싫어할 것이다.

겨우겨우 울음을 참은 예지는 변기 위로 올라가 무릎을 끌어모았다.

'아, 아파……. 추워…….'

바들바들 떨리는 몸에 예지는 눈을 꼭 감았다. 아프고 추울 때마다 이렇게 웅크리고 눈을 감으면 덜 아팠기에.

엄마의 화가 얼른 풀리기를 바라며 예지는 눈을 감았다.

한편 냉장고에 장을 봐 온 것을 대충 쑤셔 넣은 이선경
은 베란다를 신경 쓰지도 않은 채 컴퓨터를 켰다.

띵동! 띵동!

"누구지? 누구세요!"

—택배입니다!

"택배? 올 게 없는데?"

의아해하며 현관문을 연 그녀는 깜짝 놀랐다.

"선경아!"

"짜잔! 놀랐지?"

샴페인이나 케이크 따위를 들며 환하게 웃는 여성들.

"언니! 애들아!"

2001년 졸업한 야간 대학의 동기들.

"연락도 없이 여기까진 무슨 일이야?"

치미는 짜증을 누른 그녀는 태연히 웃었고, 여성들의
표정이 묘해진다.

"내가 이년 이럴 거라고 했지? 이년아 너 오늘 생일이
야. 몰랐어?"

"……아닌데? 다음 주가 생일인데?"

"어?"

여성들의 시선이 오늘 일의 주동자에게로 몰렸다.

이선경은 한숨을 내뱉었다.

"헤휴. 이번에도 착각했어? 언니 진짜 산부인과 가 봐
라."

"……아, 몰라몰라. 일주일 먼저 한다 쳐!"

억지에 가까운 행동이었지만, 이선경은 그들을 안으로 초대했다. 어찌 됐건 생일을 축하해 주러 온 사람들 아닌가.

그녀들의 손에 들린 선물 꾸러미에 이선경의 눈이 빛났다.

"어서 와. 이렇게 올 줄 알았으면 음식이라도 사 놨을 텐데."

"배달시키면 되지?"

그녀들은 꺄르르 웃으며 이선경의 이른 생일잔치를 열었다.

그렇게 얼마의 시간이 흘렀을까.

'아욱!'

오늘 이선경의 집을 찾은 여성들 중 한 명이 갑자기 둔중한 충격이 발생한 아랫배를 붙잡고 일어선다.

덜컹.

그러나 문이 잠긴 화장실. 여성의 낯빛이 새하얘진다.

쿵쿵쿵!

-안에 있어요.

"유, 윤정 언니, 나와 봐. 나 급똥!"

-아직 멀었어, 이년아. 베란다로 가.

'아, 베란다도 있었지? 거긴 싫은데.'

하지만 어쩔 수가 없다.

그녀는 얼른 베란다로 달려가 화장실 문을 열었다.

그리고…….

"꺅?!"

놀란 여성보다 더 놀라 눈을 동그랗게 뜬 예지.

"넌 누구니?"

"아, 안녕하세요. 김미나입니다. 6살!"

"아."

베란다에서 들리는 소리에 그제야 예지를 베란다 화장실에 가둬 놨음을 깨달은 이선경은 재빨리 일어섰다.

지인들에겐 보여 주고 싶지 않았던 예지.

그녀들의 표정이 놀람과 당황으로 일그러지자, 이선경은 얼른 화장실로 달려가 지인을 화장실로 밀어 넣고 예지를 거실로 데려와 선수를 쳤다.

"반성 다 했어?"

"……네."

"그럼 엄마 친구들에게 인사하고 놀이터 가서 놀아."

"네?"

"엄마 마음 바뀌기 전에 빨리."

"……네! 안녕하세요. 김미나입니다! 6살!"

예지는 혹여 엄마의 마음이 바뀔까 얼른 집을 뛰쳐나갔고, 이선경은 몰리는 시선에 어깨를 으쓱했다.

"얘가 오늘 큰 잘못을 해서."

"……너 또 입양한 거야? 언제?"

"얼마 안 됐어. 눈에 너무 밟히는데 가만 놔둘 수는 없고……."

"아니, 그래도 전에 그 입양한 아이를 보낸 지……. 어휴, 이 미련한 년아. 세상 착한년아."

지인들의 얼굴이 울상이 되어 가자 이선경은 속내를 감추며 씁쓸히 웃었고, 놀이터로 달려가던 예지의 걸음이 점점 느려진다.

놀이터에서 놀고 싶은 건 맞다.

하지만 혼자 놀고 싶은 건 아니었다.

"꺄하하하하!"

"꺄르르르!"

"딸, 조심해! 뛰다가 다쳐!"

"응, 아빠!"

"엄마! 엄마! 시소! 시소!"

"어휴. 그럼 엄마랑 시소 탈까?"

"응!"

바람이 추운데도 따뜻하고 샘이 나는 놀이터.

"예, 예지두 엄마랑 놀고 싶은데……."

하지만 그 말을 했다가는 또 혼날 것이다.

"예지는…… 아니, 미나는 착한 아이니까."

조르면 안 됐다.

조르면…… 착한 딸이 될 수 없었다.

예지는 놀이터 한구석으로 걸어가 쪼그려 앉아 엄마아빠와 뛰어노는 아이들을 멍하니 응시했다.

다음에 엄마와 함께 놀이터에 왔을 때 어떻게 노는지 알려 주기 위해서.

예지는 치미는 설움을 누르며 쳐다보았다.

"예지야?"

움찔!

고개를 돌린 예지는 종혁을, 얼굴에 걱정이 가득한 종혁을 발견하곤 얼굴을 일그러트렸다.

참아야 하는데 참을 수가 없었다.

"흐에에에에엥!"

예지는 종혁에게 달려가 안겼다.

* * *

"훌쩍, 훌쩍!"

'어이구.'

뭐가 그렇게 서러워 울었던 걸까.

왼쪽 가슴조차 다 채우지 못할 정도로 작은 이 아이가 왜 그리 울고 있었던 걸까.

또 왜 혼자 놀이터에 있는 걸까.

형사라서 그런지 좋지 못한 의문이 생겨남에 종혁은 애써 아직 아무것도 확인이 안 됐다고 스스로를 다독이며 예지를 더 꼭 끌어안았다.

"우리 예지 왜 울어. 누가 괴롭혔어? 쟤들이 괴롭혔어?"

"……으응."

"그럼 아저씨가 보고 싶었어?"

"으응…….."

"뭐?"

예지를 본 종혁은 충격을 받은 얼굴을 했다.

"아저씨 안 보고 싶었어? 아저씨는 예지 엄청 보고 싶었는데? 진짜로?"

"……보, 보고 싶었어요."

눈을 데구루루 굴리더니 인심 썼다는 듯 대답하는 예지.

더 충격받은 얼굴을 한 종혁은 벤치에 털썩 주저앉으며 입술을 삐죽 내밀었다.

"에휴. 내가 이런 말 들으려고 선물까지 사 들고 온 건가……."

"선물?"

"이 자식 봐라? 선물 하니까 눈이 똥그래지네?"

"무슨 선물이요? 예지, 아니 미나 선물이에요?"

'미나? 아, 이름이 바뀌었구나.'

입양이 됐을 때 이름이 바뀌는 건 흔한 일이기에 고개를 끄덕인 종혁은 음흉한 미소를 지으며 볼을 내밀었다.

"응, 선물. 하지만 그냥 줄 순 없으니까 아저씨 뽀뽀해 주면……."

촉!

볼에 닿는 감촉에 깜짝 놀란 종혁은 '주세요' 양손을 공손히 내미는 예지의 모습에 헛웃음을 터트렸다.

이래서 딸이 최고라고 하는가 보다.

'요망한 것.'

"자."

"와아! 핑키 공주님이다! 힉!"

소꿉놀이 세트까지 있다. 고아원에 있을 땐 언니들만 가지고 놀아서 언제나 부러웠던 소꿉놀이.

"좋아?"

"네! 감사합니다!"

종혁은 선물을 끌어안고 행복해하는 예지의 모습에 푸근히 웃었다.

'어떻게 된 일인지 물어보고 싶지만……'

아직 완전히 진정이 안 된 상태라 다시 울음을 터트릴 수 있기에 종혁은 치미는 질문들을 꾹 눌렀다.

"아저씨! 우리 소꿉놀이 해요!"

"소꿉놀이?"

"미나는 진짜진짜 소꿉놀이가 하고 싶어요!"

"그래? 그럼 그러지 뭐."

움찔!

둘의 모습을 흐뭇하게 바라보다 몸을 들썩이며 파랗게 질리는 주위 아버지들.

'아, 안 돼!'

다급한 절규가 그들의 마음속에서 터져 나온다.

'뭐야, 왜 저래?'

육아 경험이 전무한 종혁은 스스로 지옥의 문 안으로 발을 내디뎠다. 무한반복지옥 안으로 말이다.

'난 누구인가. 여긴 어디인가.'

혼이 빠져나간다는 게 이런 걸까.

맨손으로 소도 때려잡을 수 있는 몸뚱이에 힘이 빠진다. 가만히 앉아 모든 상황을 통제할 수 두뇌가 삐걱거리며 파업을 선언한다.

"여보옹, 다녀오셨어요?"

벌써 32번째 반복되는 레퍼토리.

이젠 인사에 기교까지 넣고 있다.

이미 날은 저물었고, 아이를 데리고 나온 부모들은 모두 사라져 그들만이 놀이터에 온기를 전하고 있었다.

그때였다.

"너 거기서 뭐하냐?"

"아, 아빠?!"

'아빠? ……겁먹었다?'

"넌 또 뭐고?"

마치 찍어 누르듯 어깨를 펴며 얼굴을 험악하게 구기는 사내.

'껄렁한 폼이 딱 양아친데…… 흠.'

종혁은 일단 몸을 일으켜 손을 내밀었다.

"반갑습니다. 최종혁 형사입니다."

움찔!

"혀, 형사님이요?!"

벌어졌던 어깨가 언제 그랬냐는 듯 바람 빠진 풍선처럼 쪼그라든다.

"예. 본청 간편신고관리과의 최종혁 형사입니다."

"보, 본청…… 본청 형사님이 여길 왜……."

종혁은 주눅이 든 그의 모습에 별거 아니라는 듯 손을 저었다.

"아, 제가 이번에 이곳에 이사를 오게 됐는데…… 하하, 이게 인연이 어떻게 되려는지 제가 정기적으로 후원을 하는 고아원의 아이가 이곳에 있는 게 아니겠습니까? 그런데 예지와는 어떻게?"

"……딸입니다."

"아아, 아버님이셨군요? 원장님께 말씀 많이 들었습니다!"

종혁은 냉큼 명함을 내밀었고, 남편도 눈을 부릅떴다.

'트, 특별수사팀? 팀장?!'

명함에 적힌 글귀에 화들짝 놀랐던 남편은 뒤늦게 아차하며 허둥지둥 자신의 품을 뒤졌다.

"여, 여기 제 명함입니다."

"대현 F&M? 이야, 이거 대기업에 다니시는 분이셨군요? 퇴근하시는 길인가 봅니다? 식사는 하셨습니까?"

"……크흠. 아직 안 했습니다."

종혁은 애써 의연해하는 그를 향해 손뼉을 쳤다.

"그거 잘됐군요! 저도 아직 식전이거든요! 이렇게 만난 것도 인연인데 같이 식사하시죠?!"

"예에? 아, 아뇨! 괜찮습니다!"

"제가 살 테니 가시죠? 예지는 뭐 먹을래? 갈비? 오케이, 갈비. 아버님도 갈비 괜찮으시죠?"

손을 이리저리 꼼지락거리던 남편이 할 수 있는 대답은
하나뿐이었다.

"……예."

* * *

시끌시끌. 왁자지껄.

사람들과 고기 굽는 냄새로 가득한 소갈비집.

이선경이 남편을 보며 입술을 달싹인다.

"미쳤지?"

지인들과 잘 놀고 있다가 불려 나온 것도 짜증 나는데,
무려 형사다.

"그럼 씨발 어떡하라고. 형사가 가자는데 뿌리치라고?"

분명 어떻게든 따라올 기세였다.

이선경은 예지를 죽일 듯 노려봤다.

"어떻게 된 거야?"

"아, 아는 아저씨요."

"자세히!"

"히끅!"

겁먹은 예지는 얼른 알고 있는 사실들을 다 털어놨고,
이선경과 남편은 어이없다는 듯 웃었다.

"아니, 씨발 꼬여도 어떻게 이렇게 꼬이냐……."

"……됐어. 우리가 뭐 잘못한 거 있어?"

"없…… 지?"

"그럼 닥치고 의연하게 행동해. 괜히 이상한 말 해서 꼬투리 잡히지 말고. 김미나, 너도 허튼소리 하면…… 알지?"

이선경의 얼굴이 험악하게 일그러지자 예지는 빠르게 고개를 끄덕였다.

"어이구, 안 드시고 뭐하세요?"

"어머. 사 주시는 분께서 자리에 안 계시는데 어떻게 저희가 먹어요."

화사하게 밝아지는 그녀의 얼굴에 종혁은 죄송하다며 어색하게 웃었다.

"그런데 팀장님이시라고요?"

"하하, 예. 제가 경찰대를 졸업하다 보니 그렇게 되더라고요. 그런데 어머님은 따로 하시는 일 있으세요?"

"휴우. 저도 뭘 하고 싶은데 우리 미나랑 여기 남편이라는 아들놈을 키우느라 뭘 할 틈이 없네요. 제가 할 수 있는 일이 혹시 있을까요?"

"하하하. 그러시다면 한번 알아보도록 하겠습니다. 그런데 아버님은 주로 어떤 업무를 하세요?"

"그, 그게 지원 쪽 일을 하고 있습니다. 말이 지원이지 거의 심부름꾼이지만요, 뭐. 하하."

"아아, 그러시구나. 저도 그래요. 말이 수사팀이지 인터넷에 접수된 사건만 검토한다니까요. 그 인터넷 신고 사이트 아시죠?"

"아."

이선경과 남편의 눈이 순간 빛났고, 종혁은 그런 그들을 향해 술병을 들었다.

"아버님, 어머님. 한잔 받으시죠?"

"가, 감사합니다."

"고마워요. 형사님도 한잔 받으세요."

"저도 그러고 싶은데 차를 가져와서…… 하하. 대신 고기를 아주 맛깔나게 구워 드리겠습니다. 제가 이런 거 잘하거든요!"

치이익!

종혁은 대답도 듣지 않고 바로 고기를 불판에 올렸고, 귀에 꽂히는 고기 굽는 소리에 이선경과 남편은 방금 전 짜증도 잊고 모든 신경을 고기에 집중했다.

이게 얼마 만의 꽃등심이란 말인가.

"어이구, 역시 소고기라서 그런지 빨리 익네요. 자, 한 점씩 무장하시죠."

종혁은 이선경과 남편의 접시에 구운 고기를 한 점씩 놓아 주었고, 음료가 담긴 컵을 들었다.

"그럼 건배할까요? 제가 만나서 선창하면 다 같이 반갑습니다 하는 겁니다? 만나서?"

"반갑습니다!"

채채쟁!

허공중에서 경쾌하게 부딪치는 잔들.

허둥지둥 예지도 뒤늦게 잔을 들어 올린다.

"으음!"

"와. 정말 맛있네요. 형사님이 사 주셔서 더 그런가?"

"하하. 그런가요? 많이 드세요."

'이 사람들 봐라?'

속으로 눈을 가늘게 뜬 종혁은 예지의 빈 접시에 소고기를 올려 주며 이선경을 바라봤다.

"그나저나 정말 훌륭한 결정을 하셨습니다. 쉽지 않은 일이셨을 텐데. 혹시 예지에게 형제가 있는 건가요?"

흠칫!

"……아니요. 원래는 있었을 텐데…….."

"아, 아니요. 더 말하지 않으셔도 됩니다."

종혁은 애써 당황하며 말렸고, 이선경은 쓸쓸히 웃으며 술잔에 술을 따랐다.

꿀꺽!

"후."

그녀는 예지의 머리를 쓰다듬으며 애처롭게 응시했다.

"원래 미나 전에 한 아이가 있었어요. 아니, 두 아이겠죠. 첫 번째로 잃어버린 아이는 제가 배가 아파 낳은 보물이었고요."

그렇게 시작된 푸념. 자식을 잃은 부모의 삶이 말라 가는 입술을 통해 내뱉어진다.

"솔직히 첫 입양 때 말이 좀 있었어요. 못 먹이고 못 입혀 키우는 것 같다고. 그래서 함께 옷을 사러 가던 길에 그만……."

"괜찮습니다, 어머님. 더 말하시지 않으셔도 됩니다."

"흑. 형사님, 이젠 우리 미나가 제게 전부예요. 정말…… 흐익! 미나야!"

돌연 껴안는 이선경의 행동에 화들짝 놀란 예지는 이내 떨리는 눈을 꼭 감으며 들썩이는 엄마의 등을 토닥였다.

"……죄송합니다, 형사님. 제 아내 주량이 소주 한 잔이라서요."

"아이고, 전 그것도 모르고……."

"소고기 먹을 거야! 내놔!"

갑자기 일어나 젓가락을 드는 그녀.

'허허, 거참.'

종혁은 더 이상 뭘 물을 수 없을 것 같음에 묘한 미소를 지으며 고기를 굽기 시작했다.

스르륵!

이선경과 남편, 예지가 사는 집이 있는 맨션 앞으로 차가 선다.

"이, 이거 끝까지 죄송합니다."

"아닙니다. 취하셨는데 그러실 수 있죠."

"아우. 2차 가자, 2차!"

"어이구, 이 진상. 죄송합니다. 죄송합니다!"

아니라며 손을 저은 종혁은 꾸벅꾸벅 조는 예지를 힐끔 봤다.

"이거 아버님께서 한 번에 옮기시지 못할 것 같은데 제가 도와 드릴까요?"

"예? 그, 그게······."

"괜찮습니다. 괜히 깨우면 애가 울잖아요."

"······으음. 그래 주시겠습니까? 이거 너무 죄송해서."

"죄송할 거까지야. 그럼 올라가시죠?"

뒷문을 열어 예지를 안아 든 종혁은 눈짓을 했고, 남편은 '에라이' 하며 이선경을 부축해 계단을 올랐다.

띠디디디디! 띠리릭!

"하하. 좀 어수선하죠?"

"사람 사는 곳이 다 그렇죠. 예지가 자는 곳은 어딥니까?"

"이쪽 안방 침대에 놓으시면 됩니다."

"예."

'흠.'

"우웅."

안방을 빠르게 스캔한 종혁은 침대에 눕혀지자 칭얼거리는 예지의 머리를 쓰다듬은 후 몸을 일으켰다.

"그럼 전 가 보겠습니다. 다음에 뵐 때는 이웃으로 뵙겠네요."

"하하. 예, 조심히 들어가십시오."

"예. 그럼."

다시 한번 거실을 스캔한 종혁은 집을 나섰다.

그 순간이었다.

술주정을 하듯 침대를 뒹굴다 눈을 번쩍 뜬 이선경이 종혁을 배웅하고 돌아오는 남편을 노려본다.

"갔어?"

"어. 갔어. 크, 역시 내 마누라 연기는……."

이선경이 중간중간 술주정을 부리면서 말을 끊는 바람에 말실수를 하지 않았고, 굉장히 어색해한 자리가 이어지다 끝이 났다.

꽃등심을 배불리 먹지 못한 게 아쉽긴 하지만, 형사에게 말실수를 하는 것보다는 나았다.

"내가 너 때문에……."

"미안하다니까."

"됐어. 이거나 작은 방에 던져다 놓고 와. 깨우지 말고! 아직 형사 안 갔을 텐데 깨우다 울면 어쩌려고?"

"씨발. 가지가지 하네."

얼굴을 구기며 짐짝들 듯 예지를 들어 작은 방에 놔둔 남편은 안방으로 돌아와 옷을 벗기 시작했다.

그제야 남편의 양복이 눈에 들어온 이선경은 눈을 빛냈다.

"그보다 오늘 어땠어?"

"아, 맞아! 지금 그게 문제가 아니야!"

"응?"

"내가 오늘 뭘 봤는지 알면 너도 깜짝 놀랄걸?"

오늘 본 신세계를 떠올리자 흥분한 남편은 두서없이 말을 꺼내기 시작했고, 이선경의 눈은 점점 커져 갔다.

맨션 밖에서 종혁이 이쪽을 쳐다보고 있는 것도 모른 채 그들은 새로 접한 신세계에 흠뻑 빠져들고 있었다.

찰칵! 치이익!

타들어 가며 희뿌연 연기를 뿜어내는 담배를 문 종혁은 눈을 가늘게 떴다.

"촉이 더러운데……."

자신을 보자마자 울음을 터트렸던 예지. 눈에 밟힐 수밖에 없다.

그리고 다른 의미로 이선경, 김종학 부부 역시 눈에 밟혔다.

아이가 사는 흔적이라곤 빨래밖에 없던 집안 내부.

거기다 아까 고기 첫 점을 먹을 때도 이선경, 김종학 부부는 예지보다 자신들부터 먹고 음미했다.

부모라면 그럴 리가, 아이를 원해서 입양을 한 이상 그럴 리가 없을 텐데 말이다.

이후에야 아차 하며 예지를 챙기긴 했지만, 구린 냄새가 풀풀 풍기고 있었다.

코를 긁은 종혁은 핸드폰을 들었다.

"납니다. 권 이사. 대현 F&M에 대해 알아봤어요?"

아까 소고깃집에서 화장실에 갔을 때 알아보라고 한 내용.

─네. 대현 어디를 뒤져 봐도 그런 이름의 계열사는 없었어요.

전국 어느 곳에도 말이다.

"그래요?"

'그럼…… 김종학, 넌 뭐지?'

"너흰 진짜 뭐지?"

아이가 부모라서가 아니라 무서워서 눈치를 보는 부모.

당연한 보살핌조차 기대하지 않는 아이.

종혁은 차갑게 가라앉은 눈으로 불이 켜진 이선경의 집을 응시했다.

* * *

점심시간이 되어 가는 시각, 고물을 잔뜩 실은 한 대의 리어카가 힘겹게 언덕길을 오르고 있다.

구멍이 송송 뚫린 장갑을 손에 낀 채 절뚝이는 다리로 힘겹게 땅을 밀어내는 사십대의 중년인.

"끄으읍…… 응?"

갑자기 가벼워진 리어카에 장년인은 미안해하면서도 미소를 짓는다.

"누군지 몰라도 감사합니다!"

"예에! 파이팅입니다!"

미소가 짙어진 장년인은 몸에 힘을 주었고, 이내 곧 목적지인 집까지 도착할 수 있었다.

리어카 손잡이를 내린 장년인은 얼른 뒤를 밀어 준 은인에게로 향했다.

"감사합니다. 덕분에 힘들이지 않고 올라올 수 있었습니다. 잠시만 기다리고 계세요. 제가 금방 시원한 음료수를……."

"아, 그럼 잠시 안으로 들어가서 이야기 좀 나눌 수 있을까요."

"예?"

"경찰입니다."

장년인은 딱딱하게 굳은 얼굴로 종혁을 바라봤다.

뭔가 이상하면 이상하지 않을 때까지 파라. 그게 형사다.

그래서 온 길이었다.

"드릴 게 캔커피밖에 없습니다."

"어이구. 제가 캔커피를 좋아하시는 건 또 어떻게 아시고. 잘 마시겠습니다."

장년인은 너스레를 떠는 종혁에 피식 웃으며 그 옆 평상에 앉아 고물들이 너저분하게 쌓인 작은 마당을 둘러봤다.

이 고물들이 내일의 소득이었기에 언제나 보기만 해도 배가 불렀지만, 지금 이 순간만큼은 눈에 들어오지 않는다.

─꺄아아악!

지금도 눈을 감으면 들리는 비명 소리.

타이어가 살덩이를 뭉개던 그 역겨운 느낌.

이후 정신을 차리고 보니 재판을 받고 있었지만, 아직도 눈을 감으면 그날, 그 순간이 선명하게 떠올랐다.

새하얀 눈으로 뒤덮인 세상을 가로지른 붉은 줄.

살려 내라고 멱살을 잡고 외치던 그 처절한 눈빛도.

"정말 순식간이었다는 말밖에 할 수 없습니다."

야근 후 집에 돌아가던 길, 차를 몰다 갑자기 핸드폰이 울리기에 잠깐 시선을 돌렸고 사고가 났다. 그게 전부였다.

"잠시라고는 하나 운전 중 한눈을 판 건 분명 제 잘못이 맞습니다. 하지만……."

갑자기 차도로 아이가 뛰어들 것이라고 누가 상상이나 할 수 있었겠는가.

"후, 아닙니다. 다 제 잘못이죠. 변명할 여지가 없습니다."

숨진 아이를 생각하면 변명을 하는 것조차 죄스러웠다.

종혁은 괴로워하는 그를 무덤덤한 눈으로 쳐다봤다.

"당시 합의금으로 6천 4백만 원을 지급하셨더군요."

"……아이가 태어나면 조금이라도 더 넓은 집으로 이사를 가려고 모았던 전 재산이었죠."

단순히 합의를 하여 처벌을 피하기 위해서가 아니었다.

돈으로 보상할 수 있는, 위로할 수 있는 일이 아님을 너무나도 잘 알았지만, 자신이 유가족에게 해 줄 수 있는 것이라곤 그게 전부였기에 그는 기꺼이 전 재산을 내놓았다.

하지만 그것만으로는 역시 죗값을 전부 치를 수 없던 것일까.

임신 중이던 아내가 충격에 유산을 했고, 이후 매일 술에 찌들어 폐인처럼 지내자 아내는 이혼 서류를 내밀었다.

그리고 가정법원에서 나온 그날, 하늘이 벌을 내리려는

지 똑같이 교통사고를 당하여 한쪽 다리를 절게 되었고, 결국 이렇게 폐지를 줍게 됐다.

"사고 당시 상황에 대해 더 기억나시는 건 없으십니까?"

"네, 없습니다. 그런데 이 일을 왜 이제 와서……."

"아, 개인적인 호기심 때문입니다. 아무튼 협조해 주셔서 감사합니다. 혹시라도 나중에 떠오르는 게 있으시다면 이 번호로 연락 주세요."

"예…… 아, 형사님."

"예?"

"……호, 혹시 그 아이가 묻힌 곳을 알 수 있을까요?"

용서를 빌 자격도 없지만, 가서 용서를 빌고 싶다. 무덤에, 그 차디찬 곳에 누워 있을 아이에게 무릎 꿇고 빌고 싶었다.

"응? 당시 담당 형사가 알려 주지 않던가요?"

"네……."

"흠. 한번 알아보고 연락드리겠습니다."

"가, 감사합니다!"

"그럼……."

중년인의 집을 빠져나온 종혁은 수첩을 열었다.

"다음은 두 번째 피의자인가?"

* * *

김종학, 이선경 부부에게 일어난 두 번째 교통사고를

낸 피의자에게서도 특별한 이야기는 듣지 못했다.

이 사건 역시도 순식간에 사고가 일어났고, 9천만 원의 합의금을 지급했다.

'악을 쓰고 달려들었다라…….'

피의자는 그걸 이상하다고 했지만, 개소리에 불과했다. 아이가 죽었는데 제정신일 어머니가 어디 있을까.

그런데…….

"선경이요? 걔 유명한 날라리였어요."

"아마 걔 남자랑 눈 맞아서 서울로 도망갔을걸요?"

"우리 선경이 말이요? 서, 선경이가 어디 있는지 아십니까? 그러면 제발 말 좀 해 주십시오! 아니, 가져간 돈은 안 갚아도 되니 제발 연락만 해 달라고 전해 주십시오!"

"그 새끼 이름은 꺼내지도 마십시오! 김종학 그 새끼가 땅문서를 들고 튀는 바람에 저희 집이 이렇게 됐습니다!"

끼이익! 쿵!

다 쓰러져 가는 농막에서 걸어 나온 종혁은 눈을 가늘게 떴다.

"진짜 너희들은 뭐지?"

아이를 치어 죽인 피의자들에겐 비탄에 미쳐 버린 부모.

고향 사람들에겐 개새끼.

물론 과거가 나쁜 사람에게 모성애, 부성애가 없다는 건 아니지만…….

"복잡하네."

종혁은 소고깃집에서 울음을 터트린 이선경을 안아 주며 토닥이던 예지의 모습을 잊을 수가 없었다.

"정말 부모로 여기고 있었지. 고작 며칠 만에……."

이선경의 울음이 설혹 거짓 울음이었다고 해도 예지의 생각이 그렇다면 강제적으로 떼어 놓을 수는 없었다.

자신에겐 그럴 자격이 없었다.

"염병. 일단 이사부터 해야겠군."

주위에 아이와 친한 형사가 있다면 조금이라도 잘 대해 줄 터.

'어쩌면 혹시나 하는 상황에서 억지력이 되어 줄 테지. 씨벌.'

이런 가정은 생각하기도 싫지만, 형사라서 그런지 어쩔 수가 없다.

머리를 벅벅 긁은 종혁은 다시 서울로 향했다.

* * *

"미, 미쳤어. 미쳤어."

이선경이 모니터에서 움직이는 빨간 그래프에 정신을 차리지 못했다.

"이, 이게 정말이야? 현실 맞아?"

─흐흐. 거봐. 내가 신세계라고 그랬지?

분명 오늘 아침에 3만 원에서 시작했는데 끝날 때 보니

3만 4천 원이다. 고작 6시간 만에 13%가량 오른 셈.

100만 원을 투자했으면 13만 원, 천만 원을 투자했으면 무려 130만 원이다.

'2천만 원이면? 3천만 원이면?! 1억이면?'

이선경은 터지려는 비명을 겨우 참아 냈다.

"미, 미안. 네가, 아니 여보한테 미친놈이라고 해서 미안!"

처음 들을 땐 이놈이 또 사고 친다고 생각했지만, 지난 며칠간 살펴보니 이건 돈 놓고 돈 먹기다.

아니, 돈이 그냥 증식을 하고 있다.

─쯧. 이제 이 남편의 위대한 계획을 알겠냐? 아무튼 언제 철수할지도 다 알 수 있으니까 돈이나 준비해. 최대한 많이.

"엄마, 빨래 다 갰어요……."

흠칫!

이선경은 어느새 다가온 예지를 빤히 봤다.

"최대한 많이라……."

묘하게 붉은 기가 감도는 눈가.

"어, 엄마?"

순간 덜컹하고 예지의 심장이 내려앉는다.

엄마인데 엄마가 아닌 느낌.

예지는 그 미지의 공포에 주춤 물러섰고, 혀를 찬 이선경은 저리 꺼지라며 손을 젓고는 다시 통화에 집중했다.

"당연하지! 알았어! 내가 모을 수 있을 때까지 다 모아 볼게!"

–그래. 우리 인생역전 이뤄…… 예, 가겠습니다! 끊는다!

"알았어! 일 열심히 해!"

전화를 끊은 이선경은 재빨리 거실에 놓인 컴퓨터에서 몸을 일으켜 통장부터 찾기 시작했다.

"돈이 얼마나 남았더라……."

띵동!

"아이씨, 바쁜데 누구야? 예! 나가요!"

안방을 뒤지던 걸 관두며 현관으로 달려간 이선경은 순간 얼어붙고 말았다.

"하하. 이사 떡 가져왔습니다."

"어머, 벌써 이사 오신 거예요? 말을 하시지. 오신 줄 알았다면 도왔을 텐데!"

"어이구, 괜찮습니다. 요샌 포장이사가 다 해 주는데요, 뭘. 뭐 저는 다 새로 장만해야 해서 대리점이 해 줬지만요."

"호호, 그래요? 미나야, 아저씨 왔다!"

호다닥!

"아저씨!"

"어이쿠!"

예지를 안아 든 종혁은 이선경을 보았다.

"어머님, 혹시 실례가 안 된다면 예지에게 제 집을 소개시켜 줘도 될까요?"

"네, 그럼요. 이제 이웃인걸요. 해 지기 전에만 보내 주세요!"

"하하. 감사합니다! 예지야, 갈까?"

순간 예지는 이선경의 눈치를 봤고, 이선경은 고개를 끄덕였다.

"응!"

"하하. 그럼 이따가 데려다주면서 뵙겠습니다. 예지야, 가자!"

종혁은 목을 꼭 끌어안는 예지와 함께 몸을 돌렸고, 이선경은 그런 둘을 차갑게 바라보다 몸을 돌렸다.

지금 형사건 나발이건 중요한 게 아니었기 때문이다.

"인생역전만 이룰 수 있다면……."

이선경은 다시 닫힌 현관문을 바라봤다.

"일단 통장들부터 정리해야겠어. 대출도."

그래야 현재 끌어모을 수 있는 금액을 알 수 있을 것이다.

* * *

"우와아아!"

종혁의 집에 도착한 예지의 눈이 동그래진다.

작은 방에 깔린 형형색색의 매트와 하늘하늘 레이스로 만들어진 커튼. 분홍색 침구가 깔린 침대 위에는 동물 인형과 공주 인형이 가득하다. 소꿉놀이나 책, 만화영화들도 가득했다.

"여기가 예지 방이야."

"정말요? 저, 정말 예지 방이에요?!"

"그럼. 이제 심심할 땐 아저씨 집에 와서 얼마든지 놀아. 아까 아저씨가 현관문을 어떻게 여는지 알려 줬지?"

종혁은 예지의 가슴을 톡톡 두드렸다.

그곳엔 목걸이로 만들어 걸어 준 전자키가 있었다.

요새 보급화되고 있는 디지털도어락의 스마트키.

"절대 누구에게도 주면 안 된다? 예지 말고 다른 사람이 아저씨 집에 오면 아저씨는 엄청 슬플 거야."

"응!"

"어이구. 누구 딸이기에 이렇게 대답을 잘할까?"

"엄마 딸!"

"……그래. 아! 짜잔, 이거 봐라? 이것도 예지 선물!"

종혁은 예지에게 공주님 스타일로 커스텀된 핸드폰을 목에 걸어 주었다.

다른 기능은 모두 없애고, 오직 통화 버튼 하나만 있는 핸드폰. 겉으로 보기엔 그냥 장난감처럼만 보였다.

"와아아! 예쁘다! 이, 이것도 예지 거예요?"

얼마나 놀랐는지 자신의 본래 이름을 말한 예지.

"당연하지. 이렇게 열어서 이걸 꾹 누르면……."

띠리링!

종혁의 핸드폰이 울자 예지가 깜짝 놀란다.

"헉!"

"예지도 한번 해 볼래?"

"······네!"

예지는 종혁이 한 것처럼 통화 버튼을 꾹 눌렀다.

띠리링!

"여보세요?"

—······달칵!

마치 전화는 처음 해 보는 듯 깜짝 놀라 얼어붙었다가 황급히 폴더를 닫은 예지가 종혁을 본다.

"아, 아저씨! 여기서 아저씨 목소리가 들려요!"

"다시 한번 해 볼까? 이번엔 좀 떨어져서?"

"네!"

거실 끝에 예지를 내려놓은 종혁은 부엌으로 향했고, 예지는 다시 버튼을 꾹 눌렀다.

—여보세요? 예지인가요?

"아, 안녕하세요. 김미나예요."

—안녕, 미나야? 이 핸드폰은 미나가 무슨 일 있을 때 아저씨에게 연락하라고 주는 거니까 아저씨가 보고 싶을 때 버튼을 꾹 눌러야 한다? 그럼 미나가 어디에 있건 아저씨가 달려갈게.

—어디든?

"어디든."

종혁은 그러며 배터리가 떨어졌을 때 어떻게 해야 하는지도 알려 줬다.

"네!"

환하게 웃는 예지의 모습에 종혁의 입가에도 미소가 맺

히는 순간이었다.

띠디디디딕! 띠리릭!

"팀장님, 저 왔습니다! 엥?"

"어?"

"하아?"

힘차게 문을 열고 들어온 최재수나 그런 최재수를 바라본 둘은 서로를 보며 놀랐다. 각자 다른 의미였다.

최재수의 뒤를 따라오던 오택수는 고개를 돌렸다.

"너 머리가……."

쥐가 파먹은 듯 괴상한 헤어스타일도 스타일이지만, 공정 과정에서 문제가 생겼는지 배의 옷감이 사라진 캐주얼 정장 재킷과 통이 넓은 청바지. 손목엔 젤리 같은 걸로 만든 시계를 차고 있다.

"흐흐! 이게 샤기컷이란 건데 어떤가요, 팀장님? 멋지죠? 아이들에게 친근하게 다가가려면 이렇게 최신 유행 패션으로……."

"예지야."

"네?"

"우리 예지 화장 놀이 하고 싶지 않니?"

"하, 하고 싶어요!"

"그럼 저 아저씨에게 부탁해 볼까? 저 아저씨도 화장 놀이를 정말정말 좋아하거든."

"정말요?!"

"어?"

최재수는 초롱초롱 눈을 빛내며 다가온 예지가 손을 내밀자 얼어붙어 식은땀을 흘렸지만, 종혁이 노려보자 모든 걸 포기할 수밖에 없었다.

"그, 그래. 오빠랑 화장 놀이 할까?"

"응! 아저씨!"

종혁은 지옥으로 걸어가는 최재수를 향해 손을 흔들어 줬고, 그런 그에게 오택수가 다가와 섰다.

"왜 갑자기 이런 곳에 집을 사는가 했더니…… 학대?"

파출소 생활을 오래 하며 입양 가정을 둘러보고, 지난 며칠간 입양 가정을 집중적으로 돌아본 오택수는 많은 수의 입양아들이 홀대받고 학대에 가까운 체벌을 받는다는 걸 여실히 깨닫게 됐다.

이유는 다양했다. 아이가 마음에 안 든다든지, 친자식이 생긴다든지. 그런 일들을 떠올린 오택수의 눈빛이 절로 날카로워졌다.

"신체적으로 학대를 받는 것 같진 않았어요."

손을 내밀 때 스스럼없이 잡아 왔고, 몸 여기저기를 만져도 아파하는 기색이 없었다.

"또 김종학과 이선경을 잘 따르기도 했죠."

"흠. 그건 문제가 아니야."

"어? 그런가요?"

"그래. 아이는 부모를 맹목적으로 따르거든."

"그건 피가 이어졌을 때 이야기죠. 각인 효과."

신생아나 젖먹이일 때 입양한다면 모를까, 예지는 이미

사리 분간을 할 수 있는 나이다.

'거기다 그 둘과 있을 땐 울거나 칭얼거리지도 않았어.'

마치 그러면 안 된다는 것처럼 꾹 참는 것 같았다. 그만큼 상황을 파악할 정도로 영리한 예지다.

"그럼 맹목적으로 믿으려는 것일 수도 있겠네. 그런 케이스를 몇 번 봤거든."

"흠. 그럴 수도 있겠네요."

"뭐야, 결론도 못 내렸으면서 왜 의심을 한 거야?"

"아, 그게……."

종혁은 이선경의 남편과 대현 F&M에 대해 말했고, 오택수는 미간을 좁혔다.

"지원금 편취?"

"심증은 가는데……."

"흠. 정말 그렇다면 예지가 저렇게 깨끗할 리가 없지 않아?"

사람이 악독해지면 어디까지 악독해질 수 있는지 아는 그들이다. 또 홀대받는 가정에서 자란 아이의 상태가 어떤지도.

"저도 그렇게는 생각하는데……."

이선경이 한 말 중에 거슬리는 게 있다.

'첫 입양아 때 말이 있었다고 했지. 못 먹이고 못 입혀 키우는 것 같다고. 만약 그걸 통해 학습했다면…….'

종혁은 고개를 저었다.

이래서 아동 관련 사건은 싫었다.

"일단 지켜보죠. 이 집을 얻은 데는 JU 사건의 컨트롤 타워로 삼으려는 것도 있으니까."

"흠…… 그래."

둘은 애써 찜찜함을 달래며 최재수의 울음소리가 흘러나오는 작은 방을 응시했다.

한편 은행을 빠져나온 이선경은 눈을 가늘게 떴다.

'1억 7천만 원…….'

예금에 집을 담보로 잡고, 신용 대출까지 했을 때 가능한 금액이다. 지인들에게 빌린다고 해도 2억을 넘지 못할 터.

"부족해."

인생역전. 죽을 때까지 돈 걱정 없이 펑펑 쓰고 살려면 이 돈으로는 부족했다.

무언가를 떠올린 이선경은 미간을 좁혔다.

'그 수밖에 없긴 한데…….'

한 번에 목돈을 끌어올 방법.

그녀의 눈이 갈등에 젖어 들기 시작했다.

* * *

툭!

'엄마?'

놀라며 눈으로 묻는 아이.

하지만 그것도 잠시다.

끼이이익! 쾅!

도로로 떨어지던 아이가 순식간에 사라지고 차가 멈춘다.

그 순간 풍경이 일그러지기 시작했다.

"허억!"

질겁하며 깨어난 이선경의 전신이 식은땀에 젖어 있다.

"……시발. 아침부터 기분 더럽게."

왜 하필 그때의 꿈을 꾸고 지랄일까.

이선경은 옆에서 아내가 악몽을 꾼 것도 모른 채 드르렁 코를 고는 남편이 얄미워 팔을 강하게 내려쳤다.

짜악!

"으응. 뭐야……."

"정신 차리고 일어나 봐."

"왜…… 으어어. 왜, 뭔데. 벌써 출근 시간이야?"

괴상한 소리를 내며 일어나 얼굴을 비비는 남편.

"그거 몇 만 원까지 간다고 했지?"

"5만 원? 한 5만 5천 원까지 간다고 했을걸? 아, 그보다 돈은 얼마나 모을 수 있을 것 같아?"

"2억. 너까지 대출하면 3억?"

"……씨발. 애새끼 꽁짓돈도 아니고. 더 못 모아?"

"개소리 마. 우리 인생에 그런 목돈이 있긴 했니?"

이 집도 자신이 우겨서 사지 않았으면 아직도 월세 신

세였을 것이다. 첫째 딸이 남기고 간 선물이었다.

"그럼 인생역전의 기회를 이렇게 날리자고? 이거 무조건 5만 5천 원까지 간다니까? 씨발, 이 주식이 천 원일 때 샀으면 벌써 돈방석에 앉았을 텐데!"

"……사채까지 쓰면 아마 4억까진 모을 거야."

"쯧. 해외여행 몇 번 다녀오면 끝이겠네."

"야! 사채가 쉬운지 알아?!"

사채 사무소에서 일해 봐서 안다.

사채를 놓는 놈들이 얼마나 지독한 악마들인지.

그래서 그녀는 굶어 죽는 한이 있어도 사채를 절대 쓰지 않겠다고 다짐했었다. 그런데 그런 그녀의 마음도 모르고 태평한 소리를 지껄이는 남편을 보자니 속이 뒤집어질 수밖에 없었다.

그제야 아내가 사채를 증오한다는 걸 상기한 남편은 혀를 찼다.

"하, 씨발. 인생 왜 이러냐. 어떻게 돈 나올 구멍이 하나……."

쏴아아!

안방 문틈 사이로 들어오는 싱크대 물 쏟아지는 소리에 고개를 돌린 남편의 눈이 가늘게 떠진다.

"그럼 쟤는?"

"미쳤어? 쟤는 우리 노후야!"

최후의 보루다.

"나이 먹고 굶어 죽을래?"

"그건 그런데……."

남편은 옆에 둔 담배를 가져와 입에 물며 나른하게 웃었다.

"그 노후를 지금 준비하는 거 아니었어? 죽지만 않으면 되잖아."

움찔!

"……죽지만?"

순간 눈동자가 흔들린 이선경이 엄지를 입에 가져간다.

극도로 초조해지거나 생각이 많아질 때 나타나는 그녀의 습관.

남편, 김종학은 이선경의 팔뚝을 쓸어내렸다.

"그리고 우리가 돈이 많아야 쟤가 더 좋은 환경에서 공부할 수 있지 않을까? 그럼 더 월급 많은 직장에 취직 할 테고."

"그, 그렇기는 한데……."

"한 번 해 봐서 감 잡았잖아. 조금만 다치게 하면 되는 거야. 그럼 쟤도, 우리도 다 행복하게 사는 거야. 노후 걱정도 끝."

한 번 해 봤다는 말에 정신이 번쩍 든 이선경은 김종학을 가만히 응시했다. 답지 않게 똑똑한 말을 하는 남편. 그런데 언젠가 남편의 이런 모습을 봤던 것 같은 기시감이 든다.

"응? 왜? 아차차. 미안."

"⋯⋯조심해."

'내가 그러고 싶어서 그랬니?'

아니었다. 정말 먹고살 돈이 없어서 어쩔 수 없이 그랬다.

"⋯⋯5만 5천 원이라고?"

종혁이 걸리긴 하지만, 살짝 다치는 것뿐인데 무슨 상관이 있을까.

'의심을 하겠어, 뭘 하겠어?'

"웅! 웅! 역시 우리 선경이!"

최고라며 엄지손가락을 치켜든 김종학이 슬그머니 이선경의 팬티 속으로 손을 집어넣는다.

"이거, 이거. 우리 선경이에게 상을 내려야겠는걸?"

"얼른 끝내. 나도 밑 작업을 해야 하니까."

"밑 작업? 어, 뭐 그래! 우리 여보님에게 다 계획이 있겠지!"

그녀를 눕히고 몸을 포개는 김종학의 눈에 웃음기가 번지기 시작했다.

"후우."

이른 아침부터 한바탕 뒹군 이선경은 흐트러진 머리를 정리하며 부엌으로 나갔다.

촤르르르르!

"익! 윽!"

튀는 기름에 아파하면서도 자리를 지키는 예지.

그 미련한 모습에 얼굴이 일그러졌던 이선경은 이내 한숨을 내쉬며 뒤집개를 뺏어 들었다.

"넌 기름이 튀면 물러나야지. 이것까지 가르쳐야겠니?"

"죄, 죄송해요. 아, 안녕히 주무셨어요!"

"어. 미나도 잘 잤어?"

"네? 네!"

이 집에 와 처음 받아 보는 인사.

좋아 어쩔 줄 몰라 하는 예지를 일견한 이선경은 싱크대에 걸린 앞치마를 예지에게 입혀 주었다.

"어?"

"앞으론 이렇게 앞치마를 입고 해."

예지는 멍하니 고개를 끄덕였다. 쏟아지는 엄마의 사랑에 정신을 차릴 수 없어서다.

"오늘은 다쳤으니까 비켜 봐. 엄마가 할 테니까."

"아, 아니 미나가 할 수……."

하얗게 질린 예지가 도리질을 친다.

"엄마가 두 번 말하는 건 싫다고 했지? 아니, 같이할까?"

"……녜에!"

예지의 얼굴이 활짝 피었다.

* * *

─막 엄마가 안아 줘서 같이 밥도 먹구…….

"어이구, 그랬어?"

-네! 이따가 미나랑 옷도 사러 간대요!

"옷?"

흠칫!

반복된 키워드에 반사적으로 놀랐던 종혁은 이내 고개를 저었다. 갑자기 180도 달라진 이선경의 행동에 절로 의심이 가지만, 그 이유가 대충 짐작이 가서다.

'역시 내가 주위에 있어서 효과가 생긴 건가.'

보여 주기 위해서라도 잘해 주는 것일 터.

'그래, 일단 이거라도 어디야?'

얼마나 갈지 모르지만, 예지가 행복할 수 있다면 됐다.

"예지야, 엄마가 좋니?"

'그런 부모라도 행복하니?'

-……네!

"얼마큼?"

-많이많이!

그래. 그거면 됐다. 그거면 된 거다.

"그래? 섭섭한데?"

-아, 아저씨도 많이 좋아해요!

종혁은 피식 웃었다.

함부로 사랑한다는 말을 하지 않는 예지.

-아, 엄마가 불러요. 끊을게요!

"그래."

전화를 끊은 종혁은 한숨을 내쉬었다.

"후. 부디 오래갔으면 좋겠는데……."

이렇게 사랑해 주는 예지의 모습에 이선경도 감복이 됐으면 싶었다. 이왕이면 좋은 엄마가 되어 주면 좋겠지만, 그냥 일반적인 엄마라도 말이다.

'부디 지금 하는 이 수고가 헛된 것이 되어도 좋으니…….'

지이잉! 지이잉!

"어, 재수야."

—예, 팀장님. 지금 첫째 딸의 납골당에 왔거든요? 그런데…… 이거 뭔가 느낌이 쎄해요.

"설마…… 한 번도 안 들렀다디?"

종혁은 아니라는 답을 바랐다.

하지만…….

—예.

원체 작은 납골당이라 관리인이 오는 이들은 모두 기억한다는데, 사람이 다녀간 흔적이 단 한 번도 없다고 한다.

"아무리 관리인이라지만 오가는 사람을 모두 기억 못 할 수도 있잖아."

—애가 바깥에 안치됐는데, 개인단 유리가 깨져 있어요. 이렇게 된 지 6년은 됐대요. 연락이 안 된다고.

"시발. ……후, 알았어. 일단 둘째 딸을 뿌렸다는 곳도 가 봐."

—……팀장님, 예지 괜찮은 거 맞겠죠?

방금까진 그럴 수 있을 거라는 희망을 가졌는데, 이젠

조금씩 의문이 든다. 대답 대신 핸드폰을 끊은 종혁은 담배를 물었다.

그 순간 다시 핸드폰이 울렸다.

"예, 오 경감님."

ㅡ야, 이 새끼들 주식하는 놈들인데?

"주식이요?"

출근하는 김종학을 미행한 오택수가 왜 뜬금없이 주식이 이야기를 꺼내는 걸까.

ㅡ어. 김종학 이 새끼가 웬 PC방으로 들어가기에 뭔가 이상해서 따라 들어가 봤거든?

웬 놈들이 컴퓨터에 앉아 주식을 하고 있었다.

그러다 욕을 들으며 쫓겨났다.

ㅡ그런데…… 갑자기 촉이 이상해서 혹시나 하고 2층에 가 보니까 대현 F&M이라는 간판이 있더라.

"아, 제발."

이 말이 뜻하는 건 하나다.

ㅡ야, 아무래도 이 새끼들 작전 세력 같다. 똑같은 종목을 켜 놓고 있었어.

"……시발이네요. 진짜."

배 아파 낳은 자식조차 찾지 않는 비정한 부모가 범죄 단체에도 연루되어 있다.

이걸 어떻게 판단해야 되는 걸까.

더 이상 희망적으로 생각하는 건 관둬야 할 것 같았다.

"……알겠습니다. 일단 끊어요."

-좀 더 지켜보다가 변동 사항 있으면 연락할게. ……
야, 행복하게 사는 게 왜 이렇게 힘든 거냐?

"끊겠습니다."

통화를 종료한 종혁은 담배에 불을 붙였다.

"그러게. 진짜 힘드네……."

예지가 바라는 건 큰 게 아닌데…….

그저 남들 다 있는 부모가 있으면 하는 것뿐인데…….

'이 수고가 헛되길 바랐는데.'

"씨발."

뻐끔뻐끔 담배 연기가 거실을 가득 채워 갔다.

그렇게 시간이 얼마나 흘렀을까.

지이잉!

"또 왜……."

전화가 아닌 문자.

그 내용을 확인하던 종혁은 눈을 부릅떴다.

"이런 미친!"

벌떡 몸을 일으킨 종혁은 다급히 집을 뛰쳐나갔다.

'예지야!'

* * *

이제 봄도 다 지나가는 듯 제법 따뜻한 바람이 살랑 불
어온다.

그에 예지의 입가에 미소가 피어난다.

집에 온 이후 처음으로 나가는 먼 곳으로의 외출. 그것도 엄마랑 함께 옷을 사러 가는 길이다.

빠앙 소리치는 자동차도, 거인 같은 어른들도, 이제 안녕 하며 시드는 꽃들도 모두 다 좋았다.

"예쁜 엄마도!"

예지를 데리러 왔을 때처럼 공주님처럼 화장한 엄마.

손톱이 기다란 손에서 나는 화장품 냄새까지 참 좋았다.

'엄마는 발이 길구나.'

옆에서 함께 걷는 게 좀 힘들기는 했다.

띠리링! 띠리링!

"엄마! 전화 와요!"

"뭐?"

주머니에서 핸드폰을 꺼낸 이선경은 혀를 찼다.

'아빠다.'

분명 핸드폰에 표시된 이름은 아빠였다. 김종학.

"미나는 잠깐만 여기 있어? 어, 왜? 아니, 돈이 그렇게 금방…… ."

거리에 남겨진 예지는 잔뜩 찌푸린 얼굴로 아빠와 통화를 하는 이선경을 빤히 바라봤다.

"……에헤헤."

갑자기 삐죽거리는 입술을 펴며 애써 웃은 예지는 가로수 아래 핀 작은 들꽃에 다가갔다.

실처럼 얇고 엄지손톱보다 작은 하얀 들꽃.

"고아원에는 너희들 많은데."

무성한 수풀 사이에서 수줍게 숨어 있는 이 꽃을 뽑아 원장님께 가져다주면 열 손가락 모두에 꽃반지를 만들어 주었다.

그러며 말했다.

-봄아, 안녕. 내년에 또 봐.

"안녕. 내년에 또 봐."

"알았어. 걱정 마. 오늘 할 거니까. 끊어. 미나야, 많이 기다렸지?"

"으으응. 아니에요!"

"그래. 그럼 갈까?"

"네!"

* * *

[곰곰이 생각해 보니 한 가지 이상한 점이 있습니다. 아이 엄마가 횡단보도 반대편에서 뛰어오더라고요.]

[생각났어요! 마치 아이가 떠밀린 것처럼 제 차로 끼어들었습니다!]

첫 번째에 이어 두 번째 교통사고 피의자에게서 온 두 통의 문자. 종혁은 다급히 시동을 걸며 본청으로 전화를 걸었다.

"간편신고관리과 특별수사1팀장 최종혁 경정…… 아닙니다. 끊어요!"

아니다. 이 급박한 순간에 경찰은 늦다. 빌어먹을 놈의 절차 때문이다.

"아!"

생각해 보니 있었다. 곧바로 예지를 찾아 줄 수 있는 단체가.

종혁은 얼른 어딘가로 전화를 걸었다.

"예, 팀장님. 저 최종혁입니다."

국정원. 이 상황에선 국정원이 최고로 빠르다고 봐야 했다.

"이유는 나중에 말해 드릴 테니 번호 하나만 추적해 주세요. 급합니다. 예, 010⋯⋯."

-오케이. 5분도 안 걸릴 거야. 무슨 급한 일인지 모르겠는데, 이걸로 국정원이 최 팀장에게 진 빚 하나 까는 거다.

아직도 많이 남았지만 말이다.

국정원 요원들이 활약을 할수록 늘어만 가는 빚. 종혁은 국정원에게 있어 고리대금업자나 다름이 없었다.

"⋯⋯감사합니다."

전화를 끊은 종혁은 차창을 후려쳤다.

콰앙! 콰드득!

왜 의심을 했으면서 애써 희망적으로 생각을 했을까.

왜. 왜. 왜.

"까드득!"

띠리링!

"예! 아, 거기요?!"

부르릉!

차 시동을 켠 종혁은 재빨리 액셀을 밟았다.

"그럼 그 근처에 옷가게가 있는지도 검색해 주시겠습
니까?! 예!"

'제발! 제발!'

부아아아앙!

종혁의 차가 쏜살처럼 튀어 나갔다.

* * *

"에헤헤헤헤!"

이선경은 원피스 두 벌이 든 하얀 봉투를 꼭 끌어안으
며 웃는 예지의 모습에 헛웃음을 터트렸다.

"그렇게 좋니?"

"네!"

"그딴 싸구려가 좋긴 뭐가……. 그럼 갈까?"

고개를 힘차게 끄덕인 예지는 엄마 손을 잡으며 걸었다.

'히히. 엄마는 몰라.'

이선경은 모를 것이다.

예지는 엄마랑 처음으로 고른 옷이라서 좋다는 걸.

머리핀 하나를 사줬어도 예지는 지금처럼 기뻐할 거란 걸.

그렇게 아무것도 모르는 이선경의 눈이 차갑게 가라앉
기 시작했다.

그녀는 주위를 둘러봤다. 어느새 해가 저물어 가는 오후, 퇴근길이 가까워져서 그런지 차가 쌩쌩 달린다.

그녀의 걸음이 도로가로 향하기 시작했다.

"예지야."

"네?"

"아이스크림 먹을래?"

"아슈크림? 머, 먹어도 돼요?"

전에 처음으로 마트에 갔을 때 냉장고 앞을 서성였지만 모른 척했던 이선경. 그래서 아이스크림을 먹으면 안 된다고 생각했던 예지다.

"그럼. 여기서 기다리고 있을래? 엄마가 금방 갔다 올게."

부우웅! 부우웅!

바로 옆을 스쳐 지나가는 자동차들.

"……네!"

스륵 차갑게 빠져나가는 손에 예지의 입술이 다시 비죽였다가 환하게 웃는다. 얼른 다녀오라며 손을 흔든 예지는 목을 매만지며 종혁이 걸어 준 핸드폰을 꺼내 들었다.

'아저씨…….'

폴더를 연 예지는 핸드폰을 쓰다듬었다.

그 순간이었다.

퍽!

"앗?!"

"어머. 꼬마야, 미안?"

어색하게 웃으며 멀어지는 이십대 여성을 보던 예지는

이내 핸드폰에 들리는 목소리에 깜짝 놀랐다.

－여보세요? 예지야?!

……탁!

"예, 예지는 착한 딸."

애써 웃는 예지의 볼이 부들부들 떨린다.

예지는 핸드폰을 다시 옷 속으로 집어넣었다.

"자, 이건 우리 미나 거."

"우와아아!

엄청 비싼 아이스크림인 빵빠레처럼 생긴 아이스크림
에 홀려 버리고 만 예지는 자신도 모르게 입에 가져갔다.

"……!"

입에 넣자마자 사르르 녹아버리는 달콤하고 차가운
맛. 아주 가끔 특별한 날에만 먹는 아이스크림보다도 백
배, 천 배 맛있다.

"맛있어?"

끄덕끄덕끄덕!

"그럼 갈까? 옷은 이리 줘."

뺏듯 옷이 담긴 봉투를 가져온 이선경은 아슬아슬하게
도로를 걷기 시작했다.

그 순간이었다.

'저거다.'

이쪽을 향해 다가오는 외제차 한 대.

'미나야, 이해해 주렴. 다 우리 모두를 위해서야.'

눈빛이 차가워진 이선경은 예지의 손을 잡은 그 손으로

예지의 어깨를 밀쳤다.

"어머?!"

투욱!

"어?"

갑자기 붕 떠 버린 몸에 놀란 예지는 반사적으로 이선경을 찾아 고개를 돌렸다. 그와 동시에 스르르 빠져나가는 차가운 이선경의 손.

'아.'

예지는 느려진 시간 속 이쪽을 차갑게 노려보는 이선경의 눈빛에 울상을 지었다.

이미 알고 있었다.

오늘 갑자기 엄마가 잘해 준 이유를.

아침에 모두 들었다. 엄마와 아빠의 이야기를.

그래서 인정할 수밖에 없었다.

'미나는 엄마, 아빠 딸이 될 수 없구나.'

예지는 점점 놀라는 표정이 되어 가는 엄마를 향해 걱정 말라는 듯 웃어 주며 손을 흔들었다.

'미나는 괜찮아요, 엄마.'

예지는 어느새 가까워진 차에 눈을 꼭 감았다.

"예지야-!"

끼이이익! 꽈앙!

5장. 화창한 여름이 오면

화창한 여름이 오면

끼이이익! 끼이익! 쾅! 쾅!

삐용삐용!

아수라장이 되어 버린 도로.

사람들이 사고 현장으로 몰려들고, 이선경의 얼굴이 하얗게 질린다.

"꺄악!"

"어, 어떡해! 사, 사람이 치였나 봐!"

"괘, 괜찮으십니까—!"

황급히 차를 박차고 나온 운전자가 튕겨 나간 이를 향해 달려간다.

"이봐요! 괜찮습니까?"

"끄으으. 괘, 괜찮습니다. 헉! 예지야!"

온몸이 부서지는 충격에도 종혁은 품속의 예지부터 찾

았다.

몸을 둥글게 만 채 얼어붙어 있다가 고개를 드는 예지.

"아, 아저씨?"

종혁은 예지의 떨리는 눈을 보자 안도의 한숨을 내쉬었다.

"그래, 아저씨야. 경찰 아저씨. 아저씨가 전화하면 달려간다고 했지?"

"……흐에에에엥!"

예지는 울음을 터트렸다.

구해 준 게 고마워서.

더 이상 엄마, 아빠랑 살 수 없다는 걸 깨달아서.

예지는 종혁의 가슴에 얼굴을 묻으며 상실의 눈물을 펑펑 쏟아 냈다.

'하느님, 감사합니다. 하느님.'

예지를 살려 줘서. 예지가 다치지 않아서.

종혁은 예지를 꼭 끌어안으며 몸을 일으켰다.

그리고 얼어붙어 있는 이선경을 향해 걸어갔다.

"나, 난…… 어, 어머, 미나야! 아악! 우리 미나 다친……."

"예지야, 눈 감아."

종혁은 허겁지겁 손을 뻗으며 달려오는 이선경을 향해 손바닥을 휘둘렀다.

쩌어억!

가죽이 찢어지는 소리와 함께 튕겨지듯 옆으로 2미터를 날아간 이선경. 허공에 뿌려지는 피와 이를 보며 종혁은 예지를 내려놓았다.

"절대 눈 뜨지 마, 예지야."

'지금부터는 관람 불가니까.'

양손으로 눈을 가리는 예지를 뒤로한 종혁은 이선경을 향해 다가가 차가운 눈으로 내려다봤다.

"아으으……."

공포에 질린 눈으로 종혁을 보는 이선경.

"일어나."

형사로서의 촉이 서지 않았으면 어떻게 됐을까.

다급히 국정원에게 연락하지 않았으면 어떻게 됐을까.

시간 맞춰 발견해 가까운 거리에서 미행하지 않았으면 어떻게 됐을까.

시속 이십여 킬로미터에서도 죽는 게 저 또래의 아이다. 어쩌면 영안실에서 예지를 보게 됐을지도 몰랐다.

그걸 생각하니 살의가 차갑게 들끓기 시작했다.

'하늘이 너희 개쌍년놈들을 미워한 이유가 있구나.'

"일어나라. 일어나지 않으면 대가리 부숴 버린다."

섬뜩!

"크흡!"

심장이 멎는 공포에 이선경은 몸을 일으키려 애쓰고 또 애썼다.

"아으…… 읍!"

"그래. 수고했다."

종혁은 겨우 몸을 일으킨 그녀의 목을 잡고 다리를 걸어 그대로 맨바닥에 메다꽂았다.

뻐어억!

눈알이 튀어나올 듯 커진 채 굳어 버린 이선경.

"쯧. 아쉽네."

종혁은 그녀를 뒤로 돌려 눕혀 팔이 부러져라 꺾었다.

"이선경 씨, 당신을 아동 학대 및 아동 살해미수 혐의로 체포합니다. 당신이 지금부터 하는 모든 이야기는 법정에서 불리한 작용을 할 수 있고, 변호사를 선임할 수 있으며, 묵비권을 행사할 수 있고, 체포구속적부심을 신청할 수 있습니다. 알았냐, 이…… 아! 김예지! 귀 막아!"

눈을 감은 채 황급히 양손으로 귀를 막는 예지.

종혁은 이선경의 머리를 휘어감아 들어 올리며 그 귀에 속삭였다.

"이 씨발년아?"

"아으으…… 아이야…… 우이어으에 아이야……."

"기대해. 넌 내가 어떻게든 무기징역 받게 해 준다."

종혁은 곁눈질로 변명하는 이선경을 향해 씹어먹듯 말을 뱉어 냈다.

* * *

"……알았어."

얼굴에서 감정이 사라진 오택수는 최재수에게 전화를 걸었다.

"어디야?"

-거의 도착했는데 왜요? 팀장님께서 빌려주신 차만 팀
장님 집에…….

"그거 그대로 끌고 나 있는 곳으로 와."

주소를 문자로 찍어 준 오택수는 누군가에게도 전화를
걸었다.

-아이고, 형님! 이게 얼마 만이에요? 살아는…….

"닥치고, 20분 준다. 내가 찍어 주는 주소로 달려와서
어떤 새끼들 미행 좀 해. 2백."

-……15분만 기다리십쇼!

지이잉!

[20분!]

핸드폰을 옆으로 던진 오택수는 담배를 물며 차를 빠져
나와 허름한 건물의 2층 건물을 보며 목을 꺾었다.

뿌드득!

"후우. 그럼 가 볼까?"

오택수는 2층 건물로 올라가 대현 F&M이란 간판이 걸
린 문을 그대로 걸어찼다.

뻐엉!

"뭐여?!"

"씨발?! 당신 뭐야!"

놀라 굳는 십여 명의 젊은 사람들 사이에서 벌떡 일어
나는 양복 입은 3명의 덩치들.

'씨파 새끼들. 내 이럴 줄 알았다.'

딱 봐도 조폭이나 그쪽에 관련된 불법 사업체 같았다. 맞다는 것에 경찰 인생을 걸 수 있었다.

"뭐긴 뭐야, 짭새지. 개새끼들아."

"짭새? 뭡니까. 경찰이면 이렇게 남의 업장에 함부로 들어와도 됩니까?"

오택수는 얼굴을 험악하게 일그러트리며 다가오는 덩치에게 명함을 날렸다.

"본청 짭새. 거기 보이지? 특별수사팀. 지금부터 입 열지 마라. 나 여기 불 지르기 싫다."

"……."

"사장이…… 아, 저기 있겠네."

사무실 안쪽, 사장실이라는 문을 박차고 들어간 오택수는 퍼팅 연습을 하는 중이었는지 골프채를 든 채로 굳어 버린 오십대 장년인을 무시하며 소파 상석에 앉았다.

"누군지 모르지만 예의가……."

"더 이상 아가리 열면 여기 털어 버린다. 난 지금 너희가 어디 식구인지, 뭘 파는지 궁금하지 않아."

"……무슨 일이십니까, 형사님?"

오택수는 장년인을 가만히 응시했다.

"내가 지금부터 질문을 몇 개 할 거야. 참고로 난 경고 따위 두 번 안 하거든? 생각 잘하고 대답해라."

오싹!

감정이라고는 한 점 들어 있지 않은 무심한 눈.

'무, 무슨?'

장년인은 식겁하면서도 자세를 공손히 했다.

"물어보십시오, 형사님!"

"여기에 김종학이란 새끼가 직원으로 있을 거야. 한 1년여 전에 입사한 놈이야."

'김종학?'

장년인은 고개를 모로 기울였다.

"참고로 여기를 대현 계열사로 소개한 씹새끼야."

"아!"

장년인은 그제야 김종학이 누군지 떠올릴 수 있었다. 입양인지 뭔지 때문에 사무실을 시끄럽게 한 놈.

오택수는 그런 그를 빤히 보며 입을 열었다.

"여기 대현 계열사 아니지?"

"……예."

"여기 CCTV 없지?"

"예!"

오택수는 입에 문 담배를 소파에 비벼 끄며 새 담배를 물었다.

"데려와."

구멍난 소파에 소리 없는 비명을 지른 장년인은 다급히 사무실을 달려 나가 김종학을 데려오라고 외쳤고, 잠시 후 어깨를 잔뜩 움츠린 김종학이 얼떨떨해하며 사장실 안으로 들어왔다.

"아, 안녕하십니까, 큰형님! 처음 뵙겠습니다! 김종학입니다!"

'이 시발 새끼가!'

"무, 무슨 소립니까! 큰형님이라뇨!"

큰형님이란 소리에 장년인이 기겁하자 오택수는 몸을 일으켜 김종학에게 다가갔다.

"덩어리, 넌 나가."

"옙!"

"김종학 씨, 나 알지?"

"어? 너, 너는……?"

철컥!

"김종학, 널 입양 사기 및 사문서 위조, 아동 살해공모 혐의로 체포한다. 할 말 있어?"

김종학은 눈을 부릅떴다.

이제야 상황이 모두 파악 된 그.

"자, 잠깐만요! 잠시만요, 형사님! 이, 이건 모함입니다! 예! 미나를 데려오기 위해 법을 속인 거 인정합니다! 하, 하지만 살해공모라뇨! 전 그런 적 없습니다! 증거도 있어요!"

"증거?"

"여, 여기 핸드폰이요! 다 녹음되어 있습니다!"

오택수는 헛웃음을 터트렸다.

"크큭. 너흰 진짜 다 왜들 이러냐."

왜 이런 놈들은 반성이라는 걸 모를까.

왜 이렇게 비겁한 걸까.

그는 가슴속에서 끓고 있는, 겨우 누르던 분노를 폭발시켰다.

"이 개새끼야-!"

오택수는 그대로 김종학의 멱살을 감아쥐며 땅을 향해 업어쳐 버렸다.

쿠웅! 뿌득!

어깨부터 땅에 처박힌 김종학이 눈을 부릅떴다.

* * *

"멋지네요."

한쪽이 시퍼렇게 죽은 얼굴에 붕대를 감은 채 목에 깁스를 한 이선경이 본청 취조실에 앉아 있고, 그걸 본 정용진 과장은 박수를 쳤다.

"훌륭해요! 우리 최 팀장, 특별수사1팀! 아주 칭찬합니다!"

일감을 배정하지 않겠다는 상부의 결정이 내려졌는데, 알아서 일감을 찾은 것도 모자라 사람을 병신으로 만들었다.

전치 12주. 어금니 두 개와 앞니 네 개가 날아갔기 때문이다.

깨진 게 아니라 뽑혔다. 전치 12주도 정말 아득바득 우겨서 최소한으로 잡은 것이었다.

"최 팀장, 이번 기회에 딱 까놓고 이야기 해봅시다. 나

싫습니까?"

아니라면 그런 징계를 받은 지 얼마 되지도 않았는데 이런 사고를 칠 수가 없다. 이건 분명 정용진 자신을 싫어하지 않으면 벌일 수 없는 짓이었다.

이미 뒷목에 식은땀이 가득한 종혁은 슬그머니 고개를 돌렸다.

"……쯧. 그보다 어떻게 할 겁니까?"

김종학은 철저하게 무죄를 주장하고 있다. 이대로 가면 사문서 위조로밖에 처벌을 못할 터.

그마저도 예지를 입양하기 위해, 딸로 받아들이기 위해 어쩔 수 없이 사기를 쳤다는 명분으로 호소하고 있기에 법정에서 집행유예 처분을 내릴지도 몰랐다.

그것조차도 뒷목이 뻣뻣해지는데, 잘못하면 김종학의 양부 자격이 유지될 수도 있었다. 대한민국 공무원이라면 그럴 확률이 높았다.

이런 정용진의 말에 종혁은 피식 웃으며 돌아섰다.

"걱정 마세요. 1시간 안에 결단 날 테니까요."

그렇게 말하는 종혁의 한 손엔 노트북이 들려 있었다.

덜컹! 끼이익!

종혁은 흠칫 놀라는 이선경의 맞은편에 앉으며 담배를 물었다.

"아직도 우연이었다고 주장할 겁니까? 발을 헛디뎌 밀치게 됐다고?"

"며, 몇 번 말했지만 그게……."

"그래요. 예, 예. 다 알겠으니까, 일단 그 변명들로 조서 꾸미기 전에 영화나 한 편 감상합시다."

노트북을 켠 종혁은 하나의 영상 파일을 틀어 주었고, 영상 속에 등장하는 김종학을 본 이선경은 눈을 부릅떴다.

ㅡ정말입니다! 제가 왜 그 여리고 착한 아이를 죽이는 일에 동참을 했겠습니까! 제가 아무리 날백수였다지만 선은 아는 놈입니다!

ㅡ그럼 이 녹음은 뭔데?!

'녹음?'

철렁 심장이 내려앉을 만큼 불길함이 엄습한 이선경은 이내 흘러나오는 녹음 내용에 얼어붙어 버렸다.

ㅡ누가 알았겠어! 걔가 이렇게 도움이 될지! 이, 이게 대체 얼마야?

ㅡ……서, 선경아, 이래도 될까?

ㅡ뭐래. 자기도 좋아해 놓고? 자, 이거 봐. 몇 천만 원인지 보여?

'이, 이……!'

기억이 난다.

이날의 대화가.

너무 사랑해 야반도주를 했지만, 훔쳐 온 돈이 밑바닥을 드러내자 한량 본성을 드러내기 시작한 김종학.

그런 남자친구라도 좋았고, 결국 애를 가지게 되어 결혼도 했다.

화창한 여름이 오면 〈249〉

하지만 유산을, 아니 낙태를 할 수밖에 없었다. 김종학이 너무 싫어했기 때문이다.

그때부터였다.

그녀의 인생에서 자식을 제외시켜 버린 게.

그렇게 살다 다시 아이가 생겼다.

당시엔 낙태할 돈도 없어서 열 달 동안 힘들어해 가며 딸을 낳았지만 애물단지였다. 애물단지로 여겨야 했다.

그리고 어느새 진심으로 아이를 싫어하고 귀찮게 생각하게 됐다. 아니, 맨날 울고 말을 안 들으니 싫어졌다.

그러다…….

"부, 분명히 이때는 걔도 좋아했는데……."

술에 취한 상태에서 답지 않게 움츠리기에 별생각 없이 불어난 통장 잔고에 기뻐했었다.

"그, 그런데 언제 녹음을? 왜?"

배 아파 낳은 딸이 남긴 거라 허투루 쓸 수 없어 현재 사는 집을 샀다. 그때 툴툴거리면서도 좋아하던 남편의 얼굴을 잊을 수 없다.

그때부터였다. 애가 돈이 된다는 걸 알게 된 게.

"그, 그랬는데, 자기도 하자고 했는데……."

그런데 그런 내용이 하나도 없다.

이선경 본인은 세상에 둘도 없는 악마였고, 김종학은 그런 그녀를 말리는 천사였다.

이선경은 계속해서 흘러나오는 대화에 부들부들 떨었다.

"아, 아니잖아. 너도 좋아했잖아! 야, 김종학! 왜 이래!"

'어이구, 지랄을 하네.'

−알았어. 걱정 마. 오늘 할 거니까.

−그래. 너무 무리하진 말고.

그날의 그 전화다.

김종학이 먼저 전화를 걸어와 재촉하기에 어쩔 수 없이 실행하게 된 그 전화. 그 전화마저도 녹음이 되어 있었다.

뚝!

이성의 끈이 끊긴 이선경은 멍하니 모니터를 봤고, 종혁은 노트북을 덮으며 담배를 물었다.

"감상평은 어때? 재밌어?"

초점이 없는 이선경의 눈이 종혁에게로 향한다.

"무, 무슨…… 아, 아니 난…… 이, 이건 모함이에요, 모함! 이 새끼가 왜 이러는지 모르겠는데…….'"

"그런데 희한하네. 난 왜 당신이 조종을 당한 것 같지?"

덜컥!

"……조종?"

"잘 생각해 봐. 네가 일을 벌이기 전에 김종학이 부추긴 적 없어?"

종혁이 김종학의 취조 녹화본을 본 순간 떠올린 게 바로 이 점이었다.

처음 봤을 때 그 어수룩한 모습이 아니라 어수룩하고 착한 남편, 아빠를 가장한 사기꾼. 여자의 등골을 빨아먹는 기둥서방.

"어?"

있다.

가끔씩 답지 않게 똑똑해지던 남편 김종학.

생각해 보니 모두 이럴 때였다.

돈이 필요할 때.

그리고 이선경 본인을 부추길 때.

'나, 나 지금 속은 거야? 언제부터? 처음부터? 그럼 평생?'

종혁은 그런 그녀를 향해 쐐기를 박았다.

"그게 아니라면 얘가 왜 녹음을 했을까."

충격을 받은 뒤통수부터 머리가 하얗게 변해 간다.

"……이 새끼 지금 어디 있어?"

'끝났네.'

종혁은 속으로 씨익 웃었다.

"이 개새끼 어디 있냐고―!"

종혁은 대답 대신 몸을 일으켜 문을 열어 주었고, 이선경은 의자를 박차며 취조실을 빠져나갔다.

"그쪽이 아니라 저쪽. 저 방. 쪼기 저 문."

후다닥! 벌컥!

"야 이 개새끼야! 너도 좋아했잖아! 네가 부추겼잖아―!"

"헉?! 서, 선경아! 악! 악!"

순간 난장판이 된 김종학의 취조실.

그 문 앞에 선 종혁의 곁으로 김종학을 취조한 후 잡아

놓고 있던 오택수가 선다.

"쌍년이 쌍놈 새끼를 물어뜯네."

"이런 걸 보고 부창부수라고 하는 거죠."

똑같은 것들끼리 모여 개 같은 짓거리를 한 거다. 하늘 조차 용서할 수 없는 그런 짓을.

"이 씨발 쌍년이?!"

짜악!

"네가 한 거 맞잖아, 이 개년아!"

"그래, 죽여! 죽여어―!"

콰악!

"아악! 아아악! 씨, 씨발 물어?! 난 못 물 줄 알고?!"

"아, 너 취조하는 중이라 연락 못했는데, 보건복지부에서 사람이 왔대. 부장이라던데?"

"……씨부럴. 걔들은 또 왜 왔대."

혀를 찬 종혁은 머리를 긁으며 몸을 돌렸다.

* * *

서로 물고 뜯는 김종학과 이선경.

김종학은 어떻게든 이선경이 모든 죄를 뒤집어쓸 수 있도록 과거 그들이 저지른 죄를 모두 낱낱이 고해 바쳤고, 이선경은 김종학이 모두 시킨 거라며 반박을 했다.

그 결과, 김종학과 이선경에겐 처음 입양을 했던 아이에 대한 살인죄가, 그리고 예지에 대한 살인미수죄가 적

용되었다.

"……다신 찾아볼 수 없는 악독한 죄를 저지른 바 피고 김종학에겐 징역 21년을, 피고 이선경에게 무기징역 선고한다."

땅땅땅!

"아, 아니야!"

"아닙니다, 판사님! 다 이년이 저지른 거예요!"

"개새끼야! 네가 시킨 거잖아―!"

"어허! 조용히 해요! 조용히!"

땅땅땅!

인생이 끝난 날임에도 물고 뜯기 바쁜 이선경과 김종학.

재판에 참여한 사람들은 그런 그들의 모습에 혀를 내두를 수밖에 없었다.

"하! 진짜 개새끼들도 아니고."

"차라리 광견병 걸린 개가 저년놈들보단 나을 것 같네요."

법원 밖, 오택수가 담배를 물며 고개를 젓자 최재수도 씁쓸해하다가 아차 하며 종혁을 본다.

"그런데 보건복지부에서 사람이 왔었다면서요?"

"아, 그거?"

종혁은 피식 웃었다.

"미안하다던데?"

"……미안해요?"

자신들이 했어야 할 일을 종혁이, 경찰이 대신해 준 것이다. 그들로서는 고맙고도 미안할 수밖에 없었다.

"뭐, 그렇게 말하면서 아동심리학자를 대동한 전면 재조사 및 재상담에 들어간다고 하더라."

그를 위한 경찰 협력을 요청하기 위해서도 온 것이었다.

"아니, 그럴 거면 처음부터…… 씨발."

왜 맨날 공무원들은 소 잃고 나서야 외양간을 고치는 걸까.

최재수는 땅바닥을 굴러다니는 돌을 걷어찼고, 종혁은 씁쓸하게 웃었다.

하지만 이내 곧 웃었다. 오늘 아주 좋은 소식이 있기 때문이다.

"됐고. 가자. 늦겠다."

"아, 옙! 얼른 가시죠!"

＊　＊　＊

부우웅!

근처 도시를 향해 달리는 승합차 안.

"꺄르르!"

아이들의 웃음소리에 운전대에 몸을 밀착한 원장이 다급히 입을 연다.

"애, 애들아! 차 안에서는 조용해야지?"

"네!"

차 안이 조용해지자 원장은 안도의 한숨을 내쉬다가 운

전대를 보물 다루듯 조심스럽게 쓸어내렸다.

행복의 쉼터 재단이 아이들 통학을 위해 쓰라며 지원해 준 승합차. 도시에서 떨어진 곳에 위치한 고아원을 운영하는 그녀로서는 결코 거부할 수 없는 선물이었다.

'그런데 무슨 일일까?'

행복의 쉼터 재단이 할 말이 있다며 그녀를 불렀다. 그녀가 보호하고 있는 아이들까지 모두 말이다.

고아원에 좋은 일이라는 말만 하며 전화를 끊은 행복의 쉼터.

"오늘 행사 같은 게 있는 걸까나?"

갸우뚱한 그녀는 다시 운전에 집중을 하며 도시 안으로 진입했다. 한눈을 팔며 운전을 하기엔 장롱면허로 있은 지 15년이 넘었기 때문이다.

그렇게 위태위태하게 재단에 도착하니 직원 한 명이 그녀를 맞이한다.

"오셨어요, 원장님! 오시느라 고생 많으셨어요!"

"아, 아니에요. 애들아, 인사해야지?"

"안녕하세요-!"

꾀꼬리처럼 귀여운 외침들에 직원의 얼굴이 밝아진다.

"그래. 너희들도 안녕?"

"네-!"

"후후. 아, 이쪽으로 따라오세요."

직원이 안내한 곳은 재단 건물 뒤편에 자리한 커다란 3층 주택이었다.

'와……'

이제 여름이 오려는 듯 높다란 담벼락에 둘러싸인 넓은 정원에선 파릇파릇한 잔디가 싱그러움을 뽐내고 있었고, 여러 대의 그네가 어디선가 불어오는 따뜻한 바람에 흔들리고 있다.

TV에서나 볼 법한 풍경.

주택 안은 더 멋졌다.

"와아!"

"우아!"

고아원 아이들 모두가 뛰어놀아도 될 법한 넓은 거실엔 온갖 장난감들이 예쁘게 널려 있었고, 각각의 방은 하얗고 노랗고 파랗고 분홍빛 벽지로 귀엽게 꾸며져 있다.

아이들의 눈빛이 초롱초롱해지자 푸근히 웃던 원장은 한 아이를 발견하곤 울상이 되었다.

'호연아.'

예지가 떠난 이후 부쩍 말수가 줄어든 박호연.

지금도 방 안에 뛰어들려는 듯 몸을 들썩이는 다른 아이들과 달리 그 어떤 흥미조차 드러내지 않고 있다.

'휴. 시간이 답이겠지.'

씁쓸히 웃은 그녀는 행복의 쉼터 직원을 응시했다.

"그런데 여긴 왜……"

원장의 얼굴에 서리는 의혹에 직원은 의미심장한 미소를 지었다.

"후후. 잘 둘러보셨나요?"

"네에. 그렇긴 한데……."

"앞으로 원장님이 사실 곳인데 정말 제대로 둘러보신 거 맞나요?"

"다 둘러…… 네?"

"이곳이 원장님과 여기 아이들이 지낼 새 고아원이라고요."

"……네에에?!"

이해할 수 없는 말에 원장의 머리가 하얗게 물들던 순간이었다.

멍하니 창밖을 바라보던 호연이 눈을 부릅뜨며 거실을 박차고 나가 정원을 내달린다.

"얘! 호연아! 갑자기 왜……."

다급히 호연을 쫓던 원장은 그대로 굳어 버렸다.

"수, 숨 막혀……."

현관문 앞, 호연에게 안겨 버둥거리는 작은 아이.

"……예지? 예지니?"

"원장님!"

"예지야—!"

입양을 간 예지가 왜 여기에 있는 걸까.

어쩌다 오게 된 걸까.

그런 의문이 떠올랐지만, 원장은 그보다 먼저 몸부터 날려 예지를 꽉 끌어안았다.

가슴으로 낳은 딸, 예지.

몇 달 만에 품에 안는 딸은 여전이 따뜻하고 작았다.

그건 예지도 마찬가지였다.

몇 달 만에 안기는 원장님의 따뜻하고 포근한 품.

엄마의 품.

"이이이잉!"

예지는 결국 울음을 터트려 버렸다.

한편 근처에 세워진 외제차 안.

"훌쩍!"

"뭘 짜고 자빠져 있냐?"

"그럼 이걸 보고…… 풋! 여보세요. 오택수 씨."

"왜 이 새끼야?"

"거울이나 보세요."

"……!"

금방이라도 눈물을 흘릴 듯 눈시울과 코가 붉어진 오택
수.

"……씨부럴. 쪼깐한 게 사람을 울리네."

그는 얼굴마저 붉히며 고개를 돌렸고, 운전대를 잡은
킥킥 웃으며 최재수는 뒷좌석에 앉은 종혁을 향해 입을
열었다.

"팀장님, 이제 예지는 행복하겠죠?"

"……그러길 바라야겠지."

최소한 앞으로 무엇을 하든 부족함은 없을 것이다.

또한 이후 행복의 쉼터 재단에서 지속적으로 지원을 해
줄 테니, 하고 싶은 건 무엇이든 할 수 있을 터였다.

이제 사건은 모두 끝났다고 봐야 했다.

종혁은 이제 여름이 오려는 듯 부쩍 따뜻해진 바람과 푸르른 하늘에 나른하게 웃으며 창문을 열었다.

"출발하자. 사건 시작해야지."

JU그룹. 이제 놈들을 징치할 때였다.

* * *

이제 막 해가 뜨는 이른 아침.

자전거 한 대가 골목길을 내달린다.

"신문이요!"

무엇이 그리 좋은지 입가에 미소를 매단 이십대 청년.

제 몫의 구역을 모두 돈 청년은 신문 배급소로 향했다.

"사장님!"

"……월급날이 뭔 보약이냐?"

평소보다 10분은 빠른 시간.

어이없다는 듯 웃은 사장은 이내 푸근한 미소로 하얀 봉투를 하나 내민다.

"자, 이달 치 월급."

"사랑합니다!"

"……곧 이사 갈 거라고?"

"옙! 두 달만 더 모으면 딱 맞아떨어질 것 같아요! 정말 감사합니다!"

몇 년 전 가세가 급격히 기울기 시작하면서 공부하는

시간을 제외하곤 아르바이트에 매진한 청년.

매일매일 코피 흘려 가며 노력한 결과 다행히 좋은 대학에 들어갈 수 있었고, 그걸 바탕으로 과외까지 할 수 있을 만큼 다 하고 있다.

이제 두 달만 더 있으면 이 지긋지긋한 달동네에서 벗어나 방 두 칸 있는 집으로 옮길 수 있었다.

'그럼 군대도 마음 놓고 다녀올 수 있겠지!'

"그래. 이사하면 말 하고. 뭐 대단한 건 해 줄 수 없지만, 이달의 사원에게 이사 선물 정돈 줄 순 있으니까."

"하하. 감사합니다! 그럼 가 보겠습니다! 수고하세요!"

청년은 다시 자전거를 몰아 빠르게 멀어졌고, 사장은 그런 그를 보며 한숨을 내쉬었다.

"저런 애가 잘되어야 하는데…… 하늘도 무심하시지. 쯧쯧."

고개를 저은 사장은 몸을 돌렸고, 페달을 콱콱 밟으며 빠르게 집에 도착한 청년은 훅 풍겨 오는 퀴퀴한 반지하 원룸방 냄새에 다녀왔습니다를 크게 외쳤다.

쫓기고 쫓겨 결국 이런 곳까지 오게 된 그들 가족.

"……일 가셨구나."

아쉬워한 청년은 커튼을 쳐 분리시킨 자신의 방의 책상 서랍을 열었다. 그러자 그의 눈에 들어오는 하얀 봉투들. 그동안의 노력을 증명하는 증거들이다.

'푸흐흐.'

그 위에 오늘 받은 월급 봉투를 추가시킨 청년은 옷을

입고 집을 나섰다.

"이크! 늦었다"

시간을 확인한 청년은 버스정류장을 향해 내달렸다.

"헉! 헉!"

'아, 안 늦었지?'

다행이 1분 전 도착. 청년은 숨을 골랐다.

"야, 어제 종가 확인했어?"

"씨발, 미쳤던데? 이거 지금이라도 들어가야 하는 거 아니야?"

"난 이미 들어갔지롱?"

'종가? 주식?'

고개를 돌린 청년은 묘한 표정을 지었다.

자신과 비슷한 또래, 비슷한 처지로 보이는 아이들이 주식 이야기를 하는 게 퍽 낯설기 때문이다.

"아니, 낯설진 않은가?"

올해 들어 그가 다니는 대학에서도 주식 이야기를 하는 친구들이 부쩍 늘었다.

"흠."

부르릉!

잠시 고민에 빠졌던 청년은 마침 도착한 버스에 올라 학교로 향했다.

"야, 소식 들었어?"

"무슨 소식?"

"준철 선배 있잖아. 그 선배 대박 맞았대! 거의 로또 수

준이래!"

"응?"

군대 제대한 아저씨로 과방에서 깔깔이 추리닝이나 입고 뒹구는 한량. 청년이 다니는 경영학과에 왜 저런 인간이 있나 혀를 찬 적이 한두 번이 아니다.

"뭐 어떤 주식을 2천 원 때 들어갔는데, 지금 무려 4만 원에 근접……."

와락!

"요! 아저씨들! 뭣들 하시는가?!"

순간 등에 닿는 보드라운 감촉과 콧속을 파고드는 샴푸 냄새. 청년은 얼굴이 딱딱하게 굳었다.

학과여신 김주이. 청년이 남몰래 짝사랑하는 친구다.

그런 청년의 모습에 혀를 찬 친구는 긴생머리의 활기찬 여성을 향해 손을 들어올렸다.

"요! 아줌마!"

"아줌마? 뒤질래?!"

"우리가 아저씨면 넌 아줌마세요. 왜 이러세요, 아줌마."

"……넌 뒤졌어."

여성이 친구의 목을 조르려던 순간이었다.

과르릉!

굉음을 내며 그들의 옆에 서는 스포츠카 한 대. 대학교에 스포츠카가 나타나자 살짝 굳었던 그들은 이내 차문을 열고 나온, 명품으로 도배한 사내를 보곤 눈을 크게 떴다.

"주이야!"

"어? 준철 선배! 와, 씨! 그거 뭐예요?!"

"흐흐. 다 그런 게 있지. 타! 데려다줄게!"

"내가 또 이런 건 거절하지 않지! 감사합니다! 좀 이따 보자, 뚜벅이들!"

"어?"

자신도 모르게 손을 뻗었던 청년은 다시 굉음을 내며 멀어지는 차를 멍하니 바라봤다.

"어후, 저 요물. 야, 신경 쓰지 마. 주이도 그냥……."

"아니, 그게 아니라……."

당연히 신경이 쓰이긴 한다.

하지만 그보다 신경 쓰이는 건 스포츠카였다.

"야, 저 선배 원래 엄청 가난하지 않았어?"

청년의 기억상 학기금도 제대로 못 낼 정도였다.

"그랬는데 이번에 주식으로 대박 맞은 거잖아! 하 씨발, 내가 저래야 했는데……."

'여기도 주식이라…….'

버스 정류장에서도, 버스에서도, 그리고 학교에서도 주식 이야기뿐이다. 세상이 주식에 의해 돌아가는 것 같았다.

"야. 저 형이 산 주식이 뭐라고?"

한편 그 시각.

얼마 전까지 예지가 살았던 맨션 단지의 한 맨션.

최재수의 브리핑이 시작된다.

"기업명, JU그룹. 회장 주영도. 양력은 참고 서류를 살펴주시면 감사하겠습니다. 다시 돌아와 JU그룹의 주 사업 아이템은 다단계. 다른 다단계 사기와의 차이점은 물건 구매 시 최대 반에서 10퍼센트에 해당하는 포인트를 되돌려 준다는 점입니다."

회귀 전, 이런 수법으로 수만여 명의 피해자를 양산한 주영도 회장. 희대의 사기꾼 조희구의 그림자에 가려져서 그렇지, 주영도 회장 역시도 만만치 않은 다단계 사기꾼이었다.

그 피해액이 무려 조 단위.

당장이라도 검거해야 될 악마 중 악마다.

하지만 문제가 있다.

"다단계 기업이라는 정황이 밝혀졌지만, 현재로선 이렇다 할 피해가 발생되지 않아 수사를 할 수가 없는 상황입니다."

오택수와 이미 주영도에 대해 알고 있는 종혁도 혀를 찬다.

사기는, 아니 모든 범죄는 이게 문제다. 피해가 발생하기 전엔 경찰이 개입할 수 없다는 것.

"이에 저와 오택수 경감이 회원으로 잠입. 약 1억 원 어치의 물건을……."

"잠깐. 왜 판매 사원이 아니라 회원으로 잠입한 거지?"

"아, 우리도 그러려고 했는데 내 정보원이 어떤 첩보를 전해 줘서 말이야."

최재수 대신 오택수가 대답을 한다.

"첩보요?"

"어. 작년엔가? 이 새끼들이 투자 설명회를 열어 회원들 명의로 주식 계좌를 텄다고 하더라고."

문제는 개설한 주식 계좌의 공인인증서와 보안카드들을 자신들이 관리하겠다고 나섰다는 점이다.

그 말에 종혁은 눈을 빛냈다.

"근데 웃긴 게 회원들은 그걸 또 다 납득하고 돌아갔단 말이지? 딱 봐도 느낌이 쎄한 게, 일단 회원으로 접근해서 상황을……."

"아뇨. 더 말하지 않으셔도 돼요. 잘하셨어요."

정말로 잘해 줬다.

덕분에 오택수와 최재수를 납득시켜야 하는 절차가 많이 줄었으니 말이다.

종혁이 JU그룹을 엮으려는 것도 그쪽 방향이었다. 다단계는 아무리 파 봐야 놈들이 도주하지 않는 이상 검거를 할 수가 없기 때문이다.

'역시 베테랑.'

아마 잠입 전에 정보원들을 풀가동시켜 JU그룹에 대한 정보를 모은 게 틀림없었다.

"어흠, 그래?"

어깨가 으쓱해진 오택수는 최재수에게 계속하라고 신호를 보냈다.

"……큼. 아무튼 각기 5천만 원씩 총 1억 원어치의 물품을 구입하며 회원 등급을 올렸고, 구입한 물품들은 전국 고아원과 노인 복지시설에 기부를 했습니다."

만약 종혁이 자금을 무제한으로 허락하지 않았으면 어땠을까. 오택수가 말하길 아마 놈들의 중심에 접근하기까지 아주 오랜 시간 걸렸을 것이라고 했다.

"그리고 그 때문에 얼마 전 JU그룹에서 한 가지 제의를 해 온 상황입니다."

"제의?"

최재수의 어깨도 의기양양하게 으쓱 솟았다.

"투자 제의입니다!"

종혁은 그들 몰래 주먹을 불끈 쥐었다.

일이 술술 풀리고 있었다. 하지만 아직 그걸 밖으로 표출할 단계가 아니기에 모른 척 입을 열었다.

"JU그룹에? 아니면 다른 투자처? 거기에 대해선 언급은 안 했고?"

최재수는 고개를 저었다.

"만나면 설명해 준다고 했습니다만, 오택수 경감님의 개인적인 의견으로는……."

"난 아무래도 이 새끼들이 주가 조작을 하려는 게 아닌가 싶다."

종혁은 눈을 가늘게 떴다.

"그렇게 판단한 이유는요?"

"다단계 회사에서 갑자기 무슨 주식 투자냐고. 이런 사기꾼 놈이 멀쩡한 투자를 하겠어? 아니, 설령 하더라도 남들 다 불러다 놓고 권유한다는 게 말이 안 되잖아."

네 생각은 어떠냐는 오택수의 눈빛에 종혁은 같은 생각이라며 고개를 끄덕였다.

"이야기를 듣고 보니 저도 생각이 그쪽으로 기우네요."

"그렇지? 하, 씨발 새끼들. 진짜 골고루 한다."

다단계 사기로도 모자라 주가 조작.

진짜 지랄 맞은 놈들이었다.

종혁은 피식 웃었다.

둘 모두 기대 이상의 성과를 올려 주었다.

"자, 그럼 정리하겠습니다. 현재 다단계 사기를 치는 걸로 유력시되는 JU그룹이 주가 조작마저 벌이려는 상황입니다. 하지만 아직은 모두 정황에 불과하니 오 경감님과 재수는 일단 놈들을 만나 투자처가 어딘지, 얼마나 많은 회원이 어느 정도의 액수를 투자했는지에 대한 정보를 입수해 주십시오."

"그럼 넌?"

"전 두 분이서 알아 오는 정보를 바탕으로 그 투자처에 대해 알아봐야죠."

"그 투자처가 거짓일 수도 있으니까? 그렇다면 바로 놈들을 딸 수 있겠네!"

"또 걔들도 감시해야 되고요."

"아!"

김종학이 몸담았던 작전 세력, 아니 작전 세력으로 추

정되는 대현 F&M.

김종학의 검거 이후 거처를 옮기다 못해 회사명까지 바꾼 놈들이니 거의 100퍼센트라고 봐야 했다.

오택수의 현명한 대처로 인해 놓치지 않을 수 있었던 놈들.

JU그룹이 중요하다고 이놈들을 방치할 순 없었다.

"그래서 하는 말인데 혹시 전에 김종학을 따라 그놈들의 PC방 작업장에 들어갔을 때 놈들이 하던 주식이 뭔지 기억하세요?"

"어, 잠깐. 무슨무슨 보였는데…… 삼보? 아니, 분명 세 글자였는데?"

벌써 한 달 전 일이라 약간 가물가물하다.

"아, 씨발! 잠깐만?"

종혁은 얼른 수첩을 꺼내 드는 오택수를 보며 미간을 좁혔다.

'보? 세 글자?'

고작 한 글자임에도 왜 이렇게 익숙한 걸까.

'설마? 에이.'

JU그룹이 손을 뻗고 있는 회사에도 '보'라는 글자가 들어가는 터라 혹시나 했지만, 아무리 생각해도 그런 우연이 있을 리가 없었다.

종혁은 머릿속을 채우는 망상을 지워 버리며 오택수가 그 종목의 이름을 찾기를 맘 편히 기다렸다.

그런데…….

"아, 그래! 루에보! 루에보였어!"

움찔!

종혁의 전신이 그대로 굳어 버린다.

"어, 어디요? 룰렛볼?"

"루에보!"

'……씨발. 그 이름이 여기서 왜 나와?'

루에보.

JU그룹이 주가 조작을 하는 회사의 이름이자, 수많은 자살자를 만들어 낸 회사의 이름.

종혁은 이 말도 안 되는 우연에 입을 떡 벌릴 수밖에 없었다.

* * *

"약 한 달 반 만에 5천만 원……."

JU그룹이 창립된 이래 일개인이 이렇게 단시간 만에 5천만 원이나 되는 물품을 구매한 적이 있던가.

"어젠 2천만 원어치를 더 긁었습니다."

"뭐?!"

서울의 어느 카페를 코앞에 둔 사십대의 중년인이 안경을 추켜세우며 어이없다는 듯 웃는다.

"장난감이나 생활가전 위주였는데, 조심스럽게 물어보니 고아원이나 노인정에 기부를 한답니다."

"그걸?"

"예. 그따위 걸요."

중년인이나 그를 보좌하는 듯한 이십대 청년이 비릿하게 웃는다.

죄다 중국산이거나 택갈이를 한 중소기업 싸구려들. '호구 중 호구'란 단어가 그들의 머릿속에 떠오른다.

"아니지. 우리 JU의 소중한 다이아몬드 등급 회원이지."

그들 JU그룹이 나눈 회원 및 영업사원등급에서 최상위 등급.

"직업은?"

"청담동 건물주 아들이랍니다. 저기 저 건물입니다."

멀리 떨어져 있음에도 마치 군계일학처럼 우뚝 솟은 25층의 고층 빌딩.

'씨벌. 누군 부모 잘 만나서……'

"쯧. 들어가지. 소중한 회원님을 기다리게 하는 건 예의가 아니니까."

"예!"

"아, 그런데 다른 팀에도 우리와 비슷한 시기에 다이아몬드 등급이 된 회원이 있다고 하지 않았나?"

"그쪽은 인터내셔널 잡이랍니다."

"인터내셔널 잡?"

그 회사는 사십대 중년인도 들어 본 적이 있다.

한국에 들어오는 외국인 근로자들이 무조건 거친다는 초대형 직업 알선 회사. 지인이 말하길 그쪽 바닥은 인터내셔널 잡이 거의 잡아먹었다고 했다.

'그래서 알선 사기를 할 수 없다고 했지…….'

때문에 알선 사기가 주 종목인 사기꾼들이 죄다 해외로 날랐다고 했다. 해외에서 작업을 치기 위해서 말이다.

"거기도 왕호구를 물었네."

딸랑!

킬킬 웃으며 카페 안으로 들어간 둘은 텅 빈 카페에 혼자 앉아 있는 최재수를 발견하곤 눈을 빛냈다.

'구찌, 돌체앤가바나…….'

전신을 최고급 명품으로 치장을 하고 있어서 그런지 청담동 건물주 아들다운 위엄이 절로 넘치는 것 같았다.

"안녕하십니까! 최재수 회원님 되십니까?"

달그락.

커피잔을 내려놓은 최재수는 살짝 굳었지만 거만한 얼굴로 그들의 위아래를 훑었다.

그러나 그 속, 심장은 미칠 듯 뛰고 있었다.

'시발. 잘하자, 재수야! 나가리 되면 너 죽는다!'

연기 학원에서 연기까지 배웠는데 나가리 되면 종혁과 오택수에게 맞아 죽을 수가 있었다.

오싹!

종혁의 우악스런 주먹을 떠올린 최재수는 정신을 번뜩 차렸다.

'팀장님만 따라 하는 거야. 팀장님만!'

벌써 몇 년째 종혁의 넓은 등을 보며 현장을 누볐던가.

언제 어디서나 여유롭고 거만한 종혁을 떠올린 최재수는 긴 다리를 꼬며 말을 툭 내뱉었다.

"JU?"

"예! JU그룹의 서정대 부장입니다. 이쪽은 제 팀의 직원인 김대형 대리입니다."

"김대형 대리입니다, 회원님!"

그들이 내민 명함을 힐끗 본 최재수는 테이블을 검지로 두드렸다. 내려놓으라는 뜻.

순간 얼굴이 살짝 굳었던 그들은 재빨리 표정을 풀었다.

"불만?"

"하하, 아닙니다. 여기 있습니다! 그런데…… 어디 아프신가 봅니다?"

최재수의 얼굴에 땀이 가득하다.

'흡!'

"……쯧!"

순간 철렁한 최재수는 반사적으로 몸을 일으켰다.

종혁은 언제나 이랬다. 뭔가 아니다 싶으면 그냥 자리를 박차고 일어났었다.

"아이고, 아닙니다! 아니에요!"

얼른 명함을 내려놓고 최재수의 맞은편에 앉은 그들은 투자 서류를 꺼내어 내밀었다.

"먼저 통화로 말씀드렸지만, 저희 JU그룹은 그룹의 매출을 신장시켜 주시며 다이아몬드 등급이 되신 최재수 회원님께……."

"됐고. 수익이 얼만데? 종목은?"

'씨부럴 새끼!'

"하하. 일단 차차 설명을 드리자면……."

"됐다. 내가 돈이 없는 것도 아니고."

최재수가 다시 자리를 박차려 하자 중년인은 다급히 그를 붙잡으며 빠르게 설명했다.

"천 원짜리가 4만 원이 됐다고? 루에보?"

'어디서 들어 봤는데?'

분명 최근에 들은 이름이었다.

최재수가 미간을 찌푸리자 중년인은 다시 입을 열었다.

"정확히는 현재 3만 원 중반이지만, 저희 JU그룹 전략 기획실의 의견에 의하면 못해도 지금의 2배까지 뛴다는 예측 결과가 나오고 있습니다. 즉, 1억을 넣으면 2억!"

흠칫!

최재수의 눈이 크게 요동친다.

"……그럼 10억을 넣으면 20억이란 소리네?"

"정확하십니다! 역시 다이아몬드 등급 회원님답게 이해력이 좋으시군요!"

"크흠. 자세히 말해 봐요."

최재수는 슬그머니 의자에 엉덩이를 붙였고, 중년인의 얼굴에 환한 웃음꽃이 피었다.

'물었다!'

개호구가 먹잇감을 물었다.

"그럼 차익 실현이 완료되면 찾아뵙겠습니다!"

최재수는 입을 꾹 다문 채 손을 저었고, 중년인과 청년은 허리를 연신 숙이며 카페를 나섰다.

그리고 잠시 후, 최재수는 참았던 숨을 뱉어 냈다.

"푸하! 허억! 헉!"

가슴을 두드리며 숨통을 틔우려 노력하던 최재수는 이내 주먹을 꽉 쥐며 몸을 부르르 떨었다.

"미친! 미치인!"

성공했다. 드디어 종혁처럼, 오택수처럼 제대로 속여 냈다.

짜리릿!

전율이 온몸을 내달림에 최재수는 방방 뛸 수밖에 없었다.

그 순간이었다.

빠아악!

오택수의 손바닥이 최재수의 뒤통수를 후려친다. 혹여 최재수가 실수를 하면 백업을 하기 위해 숨어 있던 오택수.

"뭐가 그렇게 좋아서 처웃고 자빠져 있냐?"

"……흐흐흐."

평소라면 발끈했을 테지만, 지금의 최재수는 아니었다.

최재수는 지금 그딴 것에 신경을 쓸 여유가 없었다.

"오 경감니임."

"뭐, 뭐야?!"

"나 어땠어요? 죽이지 않았어요?! 와, 씨. 나 연기에 소질 있는 듯?"

"……지랄."

헛웃음을 터트린 오택수는 이내 입술을 비틀었다.

"야, 너 방금 1억이 2억 된다는 소리에 흔들렸지?"

흠칫!

"……."

최재수는 필사적으로 시선을 피했다.

"에라이."

"크흠흠! 아, 그보다 루에보란 이름 익숙하지 않아요?"

"이 새끼가 말 돌리네, 라고 하고 싶지만……."

순간 오택수의 표정이 사납게 굳는다.

"익숙하네. 루에보."

익숙할 수밖에 없다. 김종학이 몸담은 작전 세력이 작업을 하던 곳이 바로 그 루에보였으니 말이다.

오택수는 핸드폰을 들었다.

"어, 최 팀장. 지금 어디야? 이거 상황이 묘하게 돌아간다."

정말 묘하게 돌아가고 있었다.

* * *

일명 루에보 사태.

주가가 깡통이나 다름없어 깡통주 혹은 동전주로 불리던 회사가 코스피 시총 순위 20위까지 올라갔던 말도 안 되는 사태.

정부가 육성 정책을 발표해 테마주로 엮이거나 신기술이나 신소재를 개발했거나 영업이익 상승 등 호재가 없음에도 연일 상한가를 치며 대한민국을 뜨겁게 달구는 이슈가 되었다.

누가 봐도 작전이었지만, 어디 인생역전에 눈이 돌아간 사람들에게 그런 게 보였을까.

오직 빨간 그래프만 보고 루에보에 이사 자금을, 결혼 자금을, 부모님 수술비를, 대학 등록금을 쑤셔 넣었다.

그리고 지옥으로 떨어졌다.

"IMF와 닷컴버블에도 배운 게 없어서…… 푸후우!"

IMF야 연도의 앞자리수가 다르다지만 닷컴버블은 2001년, 고작해야 5년 전이다.

당연히 사기를 치는 놈들이 나쁜 거지만, 탐욕에 눈이 멀어 불과 몇 년 전 일조차 잊은 이들의 모습에도 한숨이 나올 수밖에 없었다.

"후우."

뿌옇게 흩어지는 담배 연기가 종혁의 마음을 대변하고 있었다.

그런 그에게 한 통의 전화가 걸려 온다.

─지금 어디야? 지금 맨션에 도착했는데.

─충성! 연기파 형사 최재수! 임무를 성공리에 마치고

복귀했습니다! 크으! 아까 제가 그놈들을 어떻게 속이는지 팀장님도 보셔야 했다니까요?!

─……지랄! 돈에 흔들린 새끼가 뭐? 아주 씨발. 한 번만 더 그래 봐라.

─그, 그건 오해시라니까요!

─좆까. 너 내가 지금부터 지켜본다.

'풋.'

대화만 들어도 당시의 상황이 생생히 떠오르는 것 같다.

"잠시만요."

대답도 듣지 않고 통화를 종료한 종혁은 현재 보고 있는 건물을 향해 카메라를 들이밀었다.

찰칵! 찰칵!

종혁은 찍은 사진을 오택수에게 보냈다.

그러자 곧바로 전화가 걸려 왔다.

─야, 이거 뭐냐?

"시총 3천 5백억짜리 회사요?"

─……미쳤냐? 100억이나 나오면 다행이겠다.

번화가에서 멀리 떨어진 공장 단지의 조용한 가로수길 사이로 세워진, 세월의 때와 봄날 꽃가루가 잔뜩 묻어 노랗게 변한 허름한 건물 외벽과 희미하게 들려오는 공장 소음.

저 건물까지 포함해도 100억이나 받을까.

"루에보. 한 해 매출 70억에서 90억 사이의 중소 기업으로, 주력 사업 아이템은 배터리."

하청의 하청의 하청을 받는 작은 회사다.

"지난 몇 년간 영업이익은 마이너스."

이게 요새 대한민국을 달구는 루에보의 진실이다.

미래를 던진 대한민국 국민 누구도 알아보지 않은 진실.

—미친…… 그게 말이 돼?

"그러니 작전이죠."

—……씨발, 좆같네.

"그럼 전 좀 둘러보다가 들어갈 테니 쉬고 계세요."

만약 계획대로 일이 진행된다면 아주 바빠지게 될 테니 말이다.

전화를 끊은 종혁은 다 피운 담배를 도로에 던졌다.

그 순간이었다.

과르릉! 끼이익!

굉음을 내며 달려오던 한 대의 잘 빠진 빨간 스포츠카가 종혁의 앞에 서며 차창을 내린다.

"얘, 버스 정류장 찾고 있니? 이 누나가 데려다줄까?"

"푸핫!"

"히힛!"

마치 십대 소녀처럼 귀엽게 웃으며 차에서 내린 권아영이 또각또각 에나멜 구두로 아스팔트를 짓밟으며 다가온다.

"오랜만이에요, 보스."

"오랜만입니다."

이전에 그녀가 범했던 실수를 만회한 후 이렇게 얼굴을 맞댄 건 처음이다.

담배를 꺼내 문 권아영은 방금 전까지 종혁이 바라보던 루에보를 보며 눈을 빛냈다.

"저기서 제가 할 일은요?"

"어디까지가 허구인지 파악해 보세요. 이후 판단은 권 이사에게 맡기겠습니다."

그녀의 판단에 의해 종혁의 선택 역시 달라질 것이다. 그게 어떤 것이든.

"보스의 생각은요?"

"인수."

이왕이면 사장까지 전부를 원하지만, 불가능하다면 사장을 제외한 모든 것을 가져와야 된다. 기술자와 직원, 설비, 하물며 컴퓨터 쓰레기통에 있는 것까지 모두.

그 말에 권아영의 눈빛이 돌변한다.

"……보스가 그렇게 말할 정도면 저곳에 재밌는 게 있나 보군요. 아, 설마 그래서?"

작년, 천 원에서 천백 원 사이를 왔다 갔다 하던 루에보의 주가가 꿈틀거리기 시작할 때 권&박 홀딩스를 통해, 정확히는 미국 쪽 라인을 통해 은밀히 주식을 매입해 온 종혁.

그는 놀라는 권아영을 향해 의미심장한 미소를 지어 주었다.

"가 보면 꽤 골 때리는 게 있을 겁니다."

이 당시엔 터무니없다고 무시당하고 미래엔 어떤 이유로 빛을 보지 못했지만, 아마 돈 냄새를 기가 막히게 맡는 권아영이라면 깨닫게 될 것이다. 그것들의 가치를.

흥미로 가득한 그 눈빛 속에서 신뢰를 발견한 권아영은 살풋 웃으며 돌아섰다.

"오늘 다 같이 한잔해요. 이후 스케줄은 모두 빼놨으니까."

"기쁜 마음으로 기다리고 있겠습니다, 레이디."

"푸하핫!"

웃으며 발을 내딛는 그녀의 얼굴이 다시 변화한다.

'실수를 만회했다고 하지만, 아직 멀었어.'

종혁은 용서했어도 그녀 자신이 용서 못한다.

그녀는 낯빛을 차갑게 굳히며 루에보 안으로 발을 내디뎠다.

* * *

루에보의 사장실.

두 중년인이 소파에 앉아 담배를 뻑뻑 펴고 있다.

"크으! 우리에게 이런 기회가 오다니!"

얼마 전, 권&박 홀딩스라는 곳에서 한번 만나자는 제의를 해 왔다.

증권 바닥에서조차 아는 사람만 아는, 하늘 위의 하늘에서 노는 투자사.

그런 곳에서 이런 상황에 연락을 해 온 이유가 뭐겠는가. 다른 회사와의 합병 제의일 게 분명했다.

"사장님, 아니 형. 우리 얼마나 받을 수 있을까? 2천억? 3천억?"

"우리가 가진 지분이면 잘해 봐야 1500억이지."

"뭐? 겨우?!"

"후우. 동재야, 넌 이 미친 현상이 언제까지 갈 것 같냐?"

오늘 자로 주가가 3만 7천 원을 갱신했다. 그가 생각하기엔 지금이 최고점이었다.

곧 자신들의 루에보를 가지고 흔들던 작전 세력이 물량을 털어 내기 시작할 터.

루에보의 주가가 5천 원을 넘어섰을 때부터 작전에 대해 공부해 온 그는 확신할 수 있었다.

즉, 자신들도 돈을 벌려면 지금이 적기였다.

그런데 만약 한 주당 4만 원에 넘길 수 있다면?

"그리고 그 돈으로 새로 시작하는 거야."

동재라 불린 중년인은 치솟는 전율에 몸을 떨었다.

"하지만 만약 우리 생각대로 저쪽에서 합병 의사를 타진해 오면 지금까지 개발한 것들은 들고 나가지 못할 텐데?"

"야, 다른 놈들이 우리가 그리는 그림을 이해할 수 있을 거라고 생각하냐?"

90년도 초에 이미 개발된 기술조차도 허황되다고 무시당했다. 그리고 그건 그때나 지금이나 달라진 게 없었다.

"아니, 그보다 돈이 있는데 뭐가 문제야? 그 돈으로 더 나은 기술을 개발하면 되는데!"

"아아! ……음, 그럼 오 상무는?"

"당연히 데려가야지."

자신들의 계획을 실현시키기 위해선 꼭 필요한 존재.

그저 망상만 가득하던 이십대 시절, 오 상무로 인해 꿈을 꿀 수 있었고, 세상을 깜짝 놀라게 할 계획을 세울 수 있었다.

이젠 오 상무가 그리는 미래가 자신들의 미래이자 꿈이었다.

"그런데 오 상무가 우리를 따라오려고 할까?"

어디든 연구만 할 수 있으면 오케이라는 오 상무.

"야, 방금 말했듯이 다른 놈들이 우리가 그리는 그림을 이해할 수 있을 것 같냐? 오 상무는 무조건 따라온다. 그리고 혹시라도 따라오지 않는다면 어쩔 수 없지. 세상에 그놈보다 똑똑한 놈이 없는 것도 아니고."

"……그건 그러네."

어차피 얼개는 다 알고 있다. 이젠 오상무가 없어도 충분했다.

똑똑!

"들어가겠습니다."

흠칫!

둘은 문을 열고 들어오는 덥수룩한 머리의 사십대 사내에 화들짝 놀랐다. 방금까지 이야기를 나누던 오 상무였기 때문이다.

"왜? 무슨 일이야?"

"권&박 홀딩스라는 곳에서 손님이 오셨습니다."

"아! 얼른 들어오시라고 해!"

"들어오시죠."

"어머, 감사해요."

'헉! 여, 여자?'

또각또각!

구둣발 소리를 내며 안으로 들어온 권아영은 놀라 굳는 둘을 향해 싱긋 웃어 주었다.

"이렇게 두 분을 만나 뵙게 되어 반가워요. 권&박 홀딩스의 권아영 이사라고 해요. 피차 서로의 용건에 대해선 대충 아는 것 같으니 바로 본론으로 들어갈까요?"

화끈한 그녀의 말에 둘의 얼굴이 확 밝아졌다.

* * *

루에보의 사장과 전무, 그리고 오 상무는 회사 곳곳을 안내해 주었다.

"하하, 어떠십니까! 저희 회사가 겉으론……."

"흐으응."

"왜, 왜 그러십니까?"

"아니요. 혹시 이게 전부인가요?"

"마음에 안 드시는 거라도 있으신지?"

고개를 저은 권아영은 다시 공장을 둘러보며 나지막하게 중얼거렸다.

"뭐야, 그냥 작전에 농락당하는 곳일 뿐이잖아? 그분은 왜 이런 곳을 원하는지 모르겠네. 요새 부쩍 배터리에 관심을 가지셔서 그러나?"

하지만 낭비다. 이 정도 규모의 공장이라면 큰돈을 쓸 필요가 없다. 작전 세력이 털고 나갈 때, 주식을 주워 담으면 될 일이었다.

움찔!

그녀의 냉철한 읊조림에 순간 낯빛이 딱딱하게 굳은 사장과 전무는 이내 곧 서로를 보며 눈을 빛냈다.

'그분?'

중요한 단서를 들은 것 같다고 느낀 둘의 몸이 후끈 달아오른다.

"하하. 이거 아직 보여 드리지……."

"사장님, 전무님."

여태까지 가만히 뒤만 따르다 돌연 그들을 막아 세운 오 상무의 눈빛이 차가워진다.

"말하실 겁니까? 저와 한 약속을…… 어기실 겁니까?"

이들과 꿈을 나누면서 약속한 게 있다.

끝까지 자신이 개발하게 해 줄 것. 그리고 보안 유지를 해 줄 것.

"……후. 오 상무, 잠시 이야기 좀 나눌까?"

사장이 슬그머니 오 상무의 어깨에 팔을 두른 순간 오

상무의 눈에서 실망이라는 감정이 떠올랐다가 사라진다.

그는 매정하게 팔을 쳐 내며 돌아섰다.

"아닙니다. 됐습니다. 맘대로 하십쇼."

"야, 오 상무!"

사장과 전무는 발을 굴렀고, 권아영은 눈을 빛냈다.

'역시 뭔가 있긴 있구나!'

"하하. 이거 똥고집 한 명 때문에 못 볼 꼴을 보였습니다."

"됐어요. 뭐, 한번 보도록 하죠."

"으하하! 정말 화통하시군요! 그럼 가실까요?!"

사장과 전무는 그녀를 공장의 한구석으로 안내했다.

마치 정리정돈을 안 하는 사람의 차고 같은 연구실.

"이게 뭐냐면 말입니다……."

그녀는 그들이 가리킨 차를 보며 속으로 입을 떡 벌렸다.

'맙소사. 이거였구나!'

종혁이 말하던 골 때리는 것들이 말이다.

말도 안 되는 망상이다.

실현 가능성조차 가늠이 안 가는 허황된 발명품들이다.

그러나 종혁의 곁에서 그가 그리는 그림들을 보아 온 권아영에게 있어서는 아니었다.

'보스는 결코 만들지 못하는 것에 관심을 두지 않아! 그렇다면?'

이것들이 현실이 된다면 에너지 한 분야의 생태계가 바뀐다. 다른 분야의 생태계도.

권아영은 목 뒤로 넘어가려는 마른침을 물과 함께 삼키며 팔뚝을 쓸어내렸다.

'미친 인간 같으니!'

온몸을 내달리는 전율.

그런 그녀의 입가에 화사한 미소가 걸렸다.

"재밌는 장난감들이네요."

와그작!

사장과 전무의 얼굴이 일그러진다.

오랜 꿈이 무시를 당했는데 좋아할 사람은 없었다.

그들이 그러건 말건 요상한 부품들이 가득 붙은 차에서 시선을 돌린 권아영은 자동차 배터리 옆 핸드폰 배터리를 톡톡 두드렸다.

"너였구나. 그분께서 관심을 가지시는 게."

자동차 배터리로 향하려는 시선을 겨우 참아 내며 피식 웃은 권아영은 사장과 전무를 보았다.

"그럼 올라가서 서로가 원하는 가격을 써 보도록 할까요?"

일그러진 사장과 전무의 얼굴이 활짝 펴졌다.

하지만 그것도 잠시였다.

쾅!

"이, 이게 무슨……!"

1200억.

권아영이 써 낸 가격이었다.

탁자를 치며 일어난 전무가 볼을 푸들푸들 떨었다.

"어머, 왜 그러시죠? 전 이것도 많이 쳐준 거라 생각하는데요."

"지, 지금 우리 시총이 얼만지 아십니까?!"

"오늘 3700억을 넘어섰죠. 작전 세력에 의해."

움찔!

"제 제의를 무시하고 싶다면 얼마든지 그러세요. 그런데…… 과연 지금의 주가가 언제까지 이어질까요?"

천장이 없는 듯 치솟는 루에보의 주가였지만, 사장은 지금이 최고점이라 예상하고 있었다.

그리고 최고점에 도달했다는 건, 작전 세력이 물량을 털어 낼 시기가 다가왔음을 의미했다.

작전 세력이 물량을 털어 내기 시작하면 주가는 순식간에 곤두박질을 칠 터. 그 전에 자신들도 어서 가지고 있는 지분을 팔아넘겨야만 했다.

하지만 지금 주가가 37000원이라고 한들, 그 가격에 모든 물량을 다 털어낸다는 건 현실적으로 불가능했다.

가격을 한참 낮추어야 할 뿐만 아니라, 설령 그런다고 한들 모두 매도하기 전에 주가가 폭락할 게 뻔했다.

그래서 권&박 홀딩스에서 만나자는 이야기를 해 왔을 때 그렇게 기뻐했던 것이 아닌가?

장외 거래로 한꺼번에 지분을 인수해 주겠다고 한다면 장내 거래보다는 훨씬 짭짤하게 팔아넘길 수 있으리라 생각했으니까.

'그런데 1200억이라니!'

생각했던 것보다 너무 낮은 금액이었다.

그녀의 말에 틀린 점은 없지만, 이걸 받아들이기엔 그들의 마음속에 자리한 욕심은 너무나도 거대해져 있었다.

……빠득!

"나, 나가 주십시오. 내가 존대를 관두기 전에!"

달그락!

"관심이 있으면 연락 주세요."

찻잔을 내려놓으며 일어선 권아영은 1200억이란 숫자가 적힌 종이를 톡톡 두드렸다.

"당신들의 가치가 이 아래로 내려가기 전에."

만발하는 장미처럼 다시 화사하게 웃은 그녀는 돌아섰고, 사장과 전무는 닫힌 문을 바라보며 온몸을 부르르 떨었다.

이후 왁왁거리는 소리가 흘러나오는 문 밖.

'결국 백기를 들 수밖에 없겠지.'

1200억조차 작전 세력에 의해 거짓으로 만들어진 가치였으나, 이미 그것을 손에 쥐고 있는 입장에서 욕심을 버리긴 쉽지 않을 터.

하지만 권아영은 그들이 얼마 못 가 백기를 들 것이라 확신했다.

"그때 한입에……."

꿀꺽!

마치 진미를 음미한 것처럼 나른하게 웃던 권아영은 자신의 앞을 막아서는 한 중년인에 살짝 놀랐다가 이내 눈을 빛냈다.

"생각은 정리하셨나요?"

오 상무는 생긋 웃는 권아영을 일그러진 눈으로 응시했다.

까드득!

"나쁜 새끼들."

믿었다.

믿었기에 함께 꿈을 꾸자며 내민 손을 잡았다.

그리고 함께 꿈을 꾸었다.

부족한 연구비에도 시간과 영혼을 불태우며 연구하고 또 연구했다. 15년이나.

그러나 그 오랜 세월 동안 단 한 번도 힘들다 생각한 적이 없다.

언제 완성이 될지 불분명하지만, 분명 세상이 기절초풍할 것이기에 그때만을 고대하며 참고 또 참았다.

전 세계의 스포트라이트를 세 명이서 함께 받을 그날을 위해.

삼국지의 유비, 관우, 장비가 도원결의를 한 것처럼 만든 이 루에보의 이름으로.

함께하자 손을 내민 둘도 그래 줄 거라고 생각했다.

그런데…….

─세상에 그놈보다 똑똑한 놈이 없는 것도 아니고.

"개새끼들! 내가 당신들에게 얼마나 해 줬는데!"

이곳 공장의 배터리 설비를 만든 게 오 상무 자신이다. 연구비뿐만 아니라 여러모로 부족하면 안 되기에 매일매일 노력을 했다.

"내가 아니면 기술의 기 자도 모르는 너희 따위가 이런 공장을 차릴 수라도 있었을 것 같아?!"

빠드득! 빠드득! 빠득!

'날 버린다고? 하!'

헛웃음을 터트린 오 상무의 눈에서 불똥이 튀었다.

"버려지기 전에 내가 너희를 버려 주지."

그는 사장실을 향해 성큼성큼 걸어갔다.

그리고 마치 기다리고 있었다는 듯 물어 오는 권아영을 복잡한 시선으로 응시했다.

갑자기 나타나 자신들의 사이를 흔든 여자.

그리고 저들의 더러운 말을 함께 들었음에도 모른 척한 여자.

'하지만 이 여자가 아니더라도……'

일어났을 일이었다.

그걸 모를 정도로 그는 멍청하지 않았다.

"……날 기다리고 계셨습니까?"

"당신이 아니라 루에보의 진짜 주인을 기다린 거죠."

그게 오 상무일뿐이다.

말장난이었지만, 오 상무는 순간 짜릿한 전율을 느꼈다.

그랬다. 이제 사장과 전무에게는 루에보의 주인이 될 자격이 없었다.

"한 가지만 묻겠습니다. 내 연구의 가치가 얼마나 될 것 같습니까?"

"글쎄요…… 음, 이 작은 머리로 그 가치를 가늠할 순 없겠네요. 그래도 1조는 가볍게 넘지 않을까요?"

"헉?!"

세상을 놀라게 할 생각을 하고는 있지만, 그 정도의 액수는 기대조차 안 했던 그.

권아영은 경악과 혼란도 잠시 점점 사내다워지는 그의 얼굴에 재밌다는 듯 웃으며 명함을 내밀었다.

'역시 보스가 고르는 사람들은 하나같이 범상치 않다니까.'

이는 오해였지만, 그녀로선 알 길이 없었다.

"조금만 기다리세요. 곧 당신을 데리러 올 테니까. 오상무님, 아니 오성득 씨가 만든 이곳을 예쁘게 포장해서. 그럼."

"……."

또각또각!

오상무는 윙크를 하고 멀어지는 권아영을 멍하니 쳐다보았다.

그리고 루에보를 나선 권아영은 어디선가 불어오는 바람 사이로 보이는 종혁의 차를 발견하곤 헛웃음을 터트렸다.

그녀는 다시 치미는 전율에 빠르게 발을 놀려 다가가 차창을 두드렸다.

쿵쿵쿵!

차창을 내리며 그녀의 얼굴을 살핀 종혁은 그럴 줄 알았다는 듯 싱긋 웃었다.

그에 권아영은 미간을 좁혔다.

"진짜 얄미워! 먼저 말해 주면 어디 덧나요?"

"큭큭. 어땠습니까?"

"……정말 실현 가능하긴 한가요?"

"불가능해 보이던가요?"

"그랬죠! 그 누가 전격Z 작전 같은 일이 가능해질 거라고 믿겠어요! 자율주행을!"

오싹!

다시 생각해도 소름이 돋는다.

자율주행 자동차. 아니, 정확히는 전기 배터리로만 주행이 가능한 자율주행 전기자동차.

상용화만 시킨다면 무려 두 곳의 생태계를 바꿔 버릴 괴물이었고, 오 상무는 마치 소설 속 괴물을 만들어 낸 프랑켄슈타인 박사처럼 그걸 만들어 내고 있었다.

종혁이 아니었으면 콧방귀 뀌었을 망상.

그리고 종혁은 그걸, 세상 사람들 그 누구도 모르는 그걸 앉은 자리에서 내다보고 그림을 그린 것이다.

"이 미친 사람."

"큭큭."

이거였다.

미래에도 어떤 이유로 빛을 받지 못하고 사장이 된, 루에보의 진정한 가치가.

'정말 우연히 알게 됐지.'

당시 전기차가 한참 난리일 때 특집 기사로 짤막하게 나온 적 있다.

경찰이라면 결코 잊을 수 없는 루에보 사태와 관련된 일이라 기억하는 일. 특히 당시엔 지능범죄수사대 소속 이었던지라 더 기억을 할 수밖에 없었다.

영세한 인터넷 신문사의 특집 기사라 관심을 둔 사람은 별로 없었지만 말이다.

"그래서 권 이사가 판단한 가격은요?"

순간 종혁의 눈빛이 차가워지자 권아영의 눈에서도 감정이 사라진다.

"1200억이요."

"……최대 주주 둘은 별 볼 일이 없다는 거군요."

함께할 사람에겐 결코 돈을 아끼지 않는 종혁임을 누구보다 잘 알고 있는 권아영이다.

만약 사장과 전무가 함께 가야 할 인재라고 판단했다면, 루에보가 지닌 진짜 가치에 걸맞은 금액을 제시했을 터.

즉, 루에보의 진정한 주인이 따로 있단 소리였다.

'오성득, 그 사람이겠지.'

"직원들 상태는요?"

"음. 낯빛이 어둡기는 한데, 다들 묵묵히 일하는 것 같 았어요."

빈자리도 보이질 않았다.

하지만 시설의 노후화가 꽤 진행되어 있었다.

"그리고 주차장에 고급 세단들이 있더라고요. 딱 두 대."

그 말이 나타내는 뜻은 하나였다.

그리고 종혁이 낼 수 있는 결론도 하나였다.

사장과 전무를 제외한 루에보는 외부에서 폭풍이 몰아 쳐도 묵묵히 참고 견디며 할 일만 하는 것이다. 폭풍이 지나가기만을 바라며 말이다.

찰칵! 치이익!

'시부럴.'

세상은 왜 성실히 일하는 사람들을 못 잡아먹어서 안달 인 걸까.

참 거지 같은 세상이었다.

"그럼 그대로 진행해 주세요."

권아영은 뿌옇게 퍼지는 담배 연기를 안쓰럽다는 듯 응 시했다.

"⋯⋯그보다 보스. 작전 세력들 일망타진할 수는 있나 요?"

종혁과 오택수, 최재수 세 명이서 말이다.

"못하죠."

셋이선 절대로 불가능하다.

셋이 먹기엔 사이즈가 너무 크다.

"이거 우리 셋이서 꿀꺽한다면 전 총경 건너뛰고 경무관이 될걸요?"

2계급 특진. 죽어야만 가능한 특진을 하게 될지 모른다.

그 정도로 불가능한 일이다.

그런데 만약 놓친다면?

그땐 계급 강등이다. 그리고 지옥에 빠진 피해자들 때문에 굉장히 괴로운 나날들을 보내게 될 것이다.

"그럼 어쩌려고요?"

종혁이 작전 세력을 일망타진해 줘야 일이 편해진다. 아니, 원활하게 진행된다.

"뭐가 걱정이에요. 치트키가 있는데."

"치트…… 키?"

"식구라는 치트키죠. 얼추 친척 비스무리한 분도 계시고."

종혁은 의아해하는 권아영을 보며 짓궂게 웃어 주었다.

"아무튼 수고했습니다. 그럼 전 그 식구들과 밥이나 한 끼 먹으러 갑니……."

탁!

"응?"

"어딜 가시려고요? 나 오늘 스케줄 빼놨다니까요?"

"아……."

아무래도 본청에 가는 건 하루 늦춰야 할 것 같았다.

　　　　　　＊　　＊　　＊

　　본청의 소회의실.

　　종혁의 브리핑이 끝났음에도 선뜻 입을 여는 사람이 없
다.

　　……후룩!

　　모두의 시선이 찻잔을 내려놓는 정용진 과장에게로 향
한다.

　　"얼마 전에도 이런 말을 한 것 같은데…… 최 팀장은
참 알아서 일감을 잘 찾으시네요."

　　"하하."

　　일감을 배정하지 않는데도 어떻게 이렇게 일감을 잘 찾
을까.

　　그런데 이번엔 그 일감의 사이즈가 남다르다.

　　몸뚱이인 JU그룹을 뒤로하더라도 현재 한창 부풀어 오
르고 있는 루에보가 지금 당장 터지기만 해도 피해 규모
가 3천억이 넘는다.

　　만약 이들이 이런 범죄를 저지르는 걸 경찰이 인지하지
도 못했다? 그래서 놓쳤다?

　　명예로운 퇴직이 약속된 이택문 경찰청장부터 줄줄이
목이 날아갈 거다.

　　"그래서……."

　　정용진의 눈빛이 차갑게 가라앉았다.

"그래서 계획은 뭔가요?"

어색하게 웃던 종혁의 낯빛도 진지하게 굳는다.

"일단 우린 3천 7백억이라는 이 무지막지한 액수에 주목을 할 필요가 있습니다."

"……루에보라는 곳에 얽힌 세력이 하나가 아니라는 뜻이군요."

정답이다.

하나의 세력으로선 결코 감당할 수 없는 액수.

실제로도 총 여섯 개의 세력이 루에보 사태에 가담했던 걸로 조사되었다.

"그럼 문제는 꼭꼭 숨어 있는 놈들을 어떻게 찾느냐는 건데……."

종혁은 심각해지는 정용진을 보며 피식 웃고는 이 자리에 참석한 이들 중 경찰이 아닌 이를 가리켰다.

"그래서 이렇게 게스트를 초대했지 않습니까."

"음?"

모두의 시선이 종혁을 따라 강철선에게 닿는다.

종혁은 싱긋 미소를 지었다.

"루에보, 아니 JU. 특수부에서 주시하고 있는 것 맞죠?"

피해액이 수조 원에 이를 초거대 다단계 그룹이다.

이미 옛적에 특수부 혹은 대검 중수부의 레이더에 걸렸다고 봐야 했다.

'사건이 터진 후 바로 주영도 회장이 검거된 걸 보면 그

게 맞아.'

회귀 전, 루에보를 흔들던 세력이 주식을 던지자마자 곧바로 계좌를 동결하며 주영도 회장을 소환해 징치한 검찰.

"쯧. 와 내를 부르는가 캤드만⋯⋯."

점쟁이가 따로 없다.

"니 진짜 점집 찾아가 보래이. 이 정도면 신내림 받아야 된다 아이가?"

"큭큭. 네, 그럴게요. 그래서요?"

다시 혀를 찬 강철선은 입을 열었다. 입을 다물기에는 종혁에게 받은 은혜가 너무 컸다.

강철선은 손가락 세 개를 폈다.

"총 3곳. 3곳의 상호저축은행이 그놈아들과 연결되어 있다."

후끈!

순간 소회의실의 공기가 달아오른다.

경찰은 모르는 걸 검찰이 알고 있었다는 소리에 정용진의 미간이 좁혀지고, 그걸 본 종혁은 강철선을 보며 입술을 핥았다.

"어떻게 하실래요? 공조⋯⋯ 하실래요?"

강철선은 헛웃음을 터트렸다.

"이리 궁지로 몰아 놓고 제의를 하는 기가? 치아라, 마."

만약 여기서 어깃장을 놓으면 어떻게 될까.

종혁에게 뺏긴다. 이 말도 안 되게 거대한 먹잇감을 말이다.

검찰이 아는 정보 따윈 단 이틀도 안 돼서 알아낼 종혁의 그 정체불명의 정보력. 그걸 바탕으로 종혁이 놈들을 낚아채면 검찰은 망신을 당하게 되는 거다.

뭐 이게 아니라도 어차피 은혜를 갚겠다 생각한 강철선의 선택은 한 가지였지만 말이다.

"주영도만 내놔라. 그럼 하나 맡아 줄게."

"거래 성립입니다."

그렇게 경검 합동 수사가 결정되었다.

"아, 그런데 어데서부터 칠 끼고?"

종혁은 일어서다 멈칫한 강철선의 말에 생각할 게 뭐 있냐는 듯 바로 입을 열었다.

"당연히 은행들부터죠."

수풀을 건드려야 숨어 있던 뱀이 나오는 법.

뱀뿐만 아니라 참 많은 것들이 기어 나오게 될 거다.

'자, 그럼 놈들이 더 분탕 치기 전에 따 보실까?'

종혁의 입가가 뒤틀리기 시작했다.

* * *

부르릉!

중후한 멋을 자랑하는 억대의 외제 중형 세단이 한 저축은행 근처의 주차장에 들어선다.

"으흐응."

어젯밤 화끈했던 밤에 콧노래를 부르며 차에서 내린 중년 남성은 몰고 온 차의 자태를 보며 몸을 떤다.

"크으으! 딱!"

차를 향해 마치 총을 발사하는 시늉을 한 중년 남성은 B가 크게 박힌 차키를 손가락으로 돌리며 주차장을 나섰다.

"아! 안녕하세요, 과장님!"

콧속을 훅 파고드는 풋풋한 향기.

단발머리의 이십대 여성을 본 중년 남성의 얼굴이 확 펴진다.

마치 강아지를 연상시키는 귀여운 외모와 작은 체구에 어울리지 않는 육감적인 몸매 때문에 입사를 한 순간부터 모든 남직원들의 인기를 한 몸에 받는 여성.

중년 남성도 그녀를 노리고 있었다.

"어, 그래. 예진 씨, 지금 출근해? 오늘도 버스?"

"헤헤, 네! 과장님은요?! 왜 여기 주차장에 나오세요?"

중년 남성은 대답 대신 손을 올리며 차키를 꾹 눌렀다.

빵! 빵!

"우, 우와! 저 차가 과장님 차예요?!"

"점장님보다 좋은 차다 보니 어쩔 수 없이 여기다 세우는 거지. 이게 다 사회생활의 일환이랄까?"

"와아아! 과장님 능력 좋으시다! 과장님 짱! 짱!"

"으하핫! 이 나이에 저 정도 타고 다니지 않으면 실패한 인생인데, 뭐."

한껏 어깨를 추켜세우는 과장의 모습에 김예진은 어색하게 웃었다. 하지만 이내 곧 물개 박수를 쳤다. 그녀도 사회생활이었다.

"대단하세요! 막 작년부터 스타일도 좋아지시고! 정말 애인이라도 생긴 거 아니세요?"

"으하하핫! 그래 보였어? 그런데 이거 어쩌지? 난 아직 솔로인데?"

"말도 안 돼! 왜요? 주위에서 가만 안 둘 텐데 왜요?"

"글쎄…… 마음에 담고 있는 사람이 있어서일까?"

"……아하하. 누, 누군지 몰라도 행복하겠어요!"

"그러게. 누군지 몰라도 정말 행복하게 해 줄……."

"야, 야! 김 대리! 루에보 샀어?!"

흠칫!

순간 입을 다문 중년 남성은 이쪽을 향해 다가오는 회사원들을 봤다.

"어제 바로 샀지! 와 씨, 파도가 예술이던데?"

"그치? 내가 말했잖아! 지금 하락세에 접어들긴 했는데, 그것도 잠깐이라니까? 당장 내일이라도 반등할 수 있어. 그래서 얼마나? 얼마나 샀는데?"

"한 3천?"

"미친!"

호들갑을 떨며 그들의 앞을 스쳐 지나가는 두 회사원.

김예진의 표정이 묘해진다.

"과장님."

"……어? 응, 왜?"

회사원들을 보며 의미심장한 미소를 짓던 과장이 뒤늦게 반응한다.

"아니요. 요새 루에보가 참 뜨겁긴 한 것 같아서요."

"흐응. 왜 그렇게 생각하는데?"

"저희 엄마도 무조건 두 배 간다고 적금을 깨셨거든요! 아, 저도 곧 넣으려고요!"

주위 사람들이 다 곧 반등할 거라고 외치고 있다.

조금이라도 싸졌을 때 빨리 사야만 했다.

"응? 왜 그렇게 쳐다보세요?"

"아니…… 뭐, 잘해 봐. 응원할게."

'그래야 오늘부터 시작될 털기를 당했을 때 더 좌절할 테니까.'

그동안 대한민국 주식판을 어지럽힌 수많은 작전 세력들의 마지막 개미 털기와는 개념자체부터 다른 자신들의 개미 털기.

아마 김예진은 곧 밑바닥 아래에 지하가 있다는 걸 알게 될 거다. 그런데 이건 고작 피날레를 위한 밑밥일 뿐이다.

이 마지막 털기 이후 다시 급속도로 부풀기 시작한 폭탄이 터진 순간, 루에보에 돈을 투자한 사람들은 지하 아래에 있는 지옥에 빠지게 될 것이다.

그때, 사회초년생을 위로해 주는 게 사회생활 선배의

역할.

"네!"

과장은 자기 미래도 모른 채 해맑게 웃는 강아지 같은 김예진을 향해 속으로 비릿하게 웃어 주었다.

"그럼 갈까?"

"앗! 신호예요! 과장님, 뛰어요!"

지이잉!

"과장님, 진동 울리는데요?"

"어? 아."

핸드폰을 확인한 과장은 순간 이를 악물었다.

'시작됐다.'

꺄아악! 크아악!

어디선가 들려오는 환청이 마치 베토벤의 운명교향곡처럼 강렬하게 귀를 때리는 듯했다.

문자를 확인한 그는 다급히 키보드를 두드리곤 모니터를 빤히 바라보다가 주먹을 불끈 쥐며 일어섰다.

'됐다!'

"나 잠깐 담배 좀."

"옙!"

은행 뒤편으로 향한 과장은 담배를 물며 들고 나온 핸드폰의 문자 내용을 확인했다.

[시작 5분 전.]

[시작. 여러분 모두 재산을 지켰기를 바랍니다.]

"⋯⋯푸흐흐."

지켰다. 아주 잘 지켰다.

문자를 삭제한 그는 담배를 던지며 다시 은행 안으로 들어갔다.

그 순간이었다.

"꺄아악!"

"뭐, 뭐야. 왜 그래?!"

'쯧쯧.'

과장은 혀를 차면서도 김예진을 손에 넣을 날이 얼마 남지 않았다고 부를 떨었다.

"아, 김 과장. 잠깐 나 좀 보지."

"예, 부장님."

과장은 의아해하며 부장의 자리로 향했다.

그러자⋯⋯.

"그 JU 말이야. 문제없지?"

"⋯⋯아, JU 말입니까? 예, 문제없습니다. 이자도 꼬박꼬박 넣어 주고 있고, 정해진 날에 전액 상환해 주겠다는 약속도 다시 받았습니다. 무슨 일 있으십니까?"

"아니⋯⋯ 하, 아니야. 가 봐."

"예."

고개를 숙인 후 돌아서는 과장의 얼굴이 딱딱하게 굳는다.

'설마 눈치챘나?'

아니다. 부장은 그렇게 능력 좋은 사람이 아니다.

오직 끈질긴 아부와 접대로 저 자릴 차지한 무능력자.

과장은 주인이 없는 김예진의 자리를 힐끔 보곤 다시 업무에 매진했다.

오늘 낸 수익에 손이 떨려 잘 집중은 할 수 없었지만 말이다.

그렇게 얼마의 시간이 흘렀을까.

진즉에 셔터를 내린 그들 은행에도 퇴근의 공기가 불어 닥친다.

"수고하셨습니다. 내일 뵙겠습니다!"

"수고하셨습니다, 과장님!"

"훌쩍! 수, 수고하셨습니다."

"그래. 무슨 일인지 모르지만 힘내. 내일 봐, 예진 씨."

다정하게 어깨를 토닥인 과장은 미련을 접으며 돌아섰다.

마음 같아선 오늘 위로해 주며 꿀꺽해 버리고 싶지만, 그건 마음이 조급한 하수나 하는 짓이다.

천천히. 아주 천천히.

"내 색으로 물들여야지."

빠앙!

헤드라이트를 번쩍이는 제 중형 세단에 어울리는 여자가 되도록 말이다.

과장은 큭큭 웃으며 차문을 잡았다.

그 순간이었다.

"어이구, 씨발. 중2병 걸린 애새끼도 아니고."

흠칫!

"뭐, 뭐야! 누구야!"

어둠이 내려앉은 주차장. 차들 사이에서 덩치 큰 사내 종혁이 걸어 나온다.

"그러게? 이 야심한 시간에 사십대 홀애비를 찾으러 온 나는 누굴까?"

"다, 당신, 아니 당신들 뭐야!"

종혁의 뒤로 안경을 낀 날카로운 인상의 삼십대 남성도 걸어 나온다.

"아, 질문이 잘못됐구나. 다시 물을게? 이 야심한 시간에 JU라는 범죄 단체에 돈을 빌려준 씹새 홀애비를 찾아 온 나는 누굴까? 10초 준다. 맞춰 봐."

철렁!

순간 과장의 온몸에서 피가 빠져나간다.

'겨, 경찰! 씨발, 어떻게?!'

어떻게 된 일인지 모르지만, 일단 이 자리부터 벗어나야 한다.

그는 다급히 태연을 가장하며 입을 열었다.

"그게 무슨 말인지 모르겠지만, 내게 용무가 있으면······."

퍼억!

'어?'

순간 배가 쑥 들어가는 느낌과 함께 눈앞이 까매졌던

과장은 콱 가슴을 내려찍는 바윗덩이에 새된 소리를 내며 번쩍 눈을 떴다.

"퀙?!"

종혁의 발에 가슴이 밟혀 버둥거리는 그.

종혁은 발에 힘을 주어 집중을 하라고 신호를 주며 실실 웃었다.

"아아, 다 알아보고 왔으니까 수작 부릴 생각은 하지 마세요."

알아볼 것만 알아봤겠는가. 3일 동안 미행을 하며 혹여 이놈을 보호하거나 감시하는 이는 없는지도 다 파악한 후에 나타난 거다.

"거기다 이쪽분께서 중앙지검 특수부 검사님이시거든? 들어는 보셨나, 특수부?"

한 번 잡혀 들어가면 폐인이 되어 나온다는 중앙지검 특수부. 80년대를 겪은 과장에겐 대검 중수부와 함께 공포의 상징이다.

"그리고 난 본청 수사팀 형사님이시고. 그러니 야. 야, 이 개새끼야."

순간 종혁의 얼굴이 사납게 굳는다.

"너한테 돈 빌린 새끼 연락처 가지고 있지?"

주가 조작의 자금 관리책 혹은 총책.

어쩌면 사기꾼 주영도의 손발.

이곳 저축은행들에서 흘러나온 돈이 주가 조작에 쓰인 걸 이미 알고 있는 종혁으로선 누구라도 상관없었다.

"언제 그쪽에서 또 돈을 빌려야 할지 모르니까 가지고 있을 거잖아, 그치?"

종혁은 그를 잡아먹을 듯 노려봤다.

"걔들 지금 어디 있냐?"

* * *

서울의 어느 작은 사무실.

"예, 회장님. 며칠 전 말씀드린 대로 작업 들어갔습니다. 아마 오늘부터 개미들…… 롤러코스터 제대로 탈 겁니다."

천당과 지옥을 오가는 롤러코스터.

조금 있으면 바뀌겠지, 내일이면 바뀌겠지 지옥 속에 살게 될 거다. 그의 경험상 이걸 2주일 이상 버티는 놈은 없었다.

뱀처럼 찢어진 눈을 번뜩이던 오십대 작은 체구의 장년 인은 이어진 통화상대의 말에 눈을 번뜩였다.

―쌍봉 이후 다시 하한가 잊지 않았겠지?

"하하. 걱정 마십시오. 제가 그 아름다운 예술을 잊을 까요."

하락, 반등, 하락.

보통 이 단계를 거친 후 작전 세력은 반등을 넘어 고공 행진을 하게 만든다. 그리고 가진 주식을 모두 던져 버린다.

하지만 이번 작전은 그게 아니다.

마지막 하락 이후 다시 하락.

작전 세력의 방식에 대해 알아 끈질기게 달라붙은 개미들이나 슈퍼개미, 다른 투자사들도 끝까지 쥐고 있던 주식을 죄다 던지게 만들 거다.

그 후 떨어진 주식을 모두 쓸어 담으면?

그때부턴 진짜 폭탄 돌리기 시작이다.

'흐흐흐. 이런 게 예술이지.'

─관리 잘해. 하나라도 딴마음 먹으면 어떻게 되는지 알지?

"걱정 마십시오. 아무리 친한 놈들만 모았다고 해도……."

그는 탕비실이라 적힌 문을 스윽 밀었다.

그러자 컵라면을 흡입하던 메마른 기운을 뿜어내는 사내들이 행동을 멈추며 장년인을 응시한다.

피 맛을 본 굶주린 맹수들.

장년인은 테이블 위에 올려진 사시미칼이나 대검을 보곤 입술을 비틀었다.

"돈으로 장난치는 놈들 따윈 믿지 않으니까."

'당신도.'

─……믿지. 자금 조달도 확실히 하고.

"예. 받는 만큼만 하겠습니다."

딱 약속된 금액만큼만 일해 주면 되는 거다.

돈에 미쳐 괴물이 되는 놈들만 있는 이 바닥. 원칙을 지키지 않으면 금방 시체가 될 뿐이니 말이다.

전화를 끊은 장년인은 탕비실 안으로 걸음을 옮겼다.

"컵라면 남은 거⋯⋯."

지이잉! 지이잉!

"쯧. 음? 김 과장? 아이고, 김 과장. 안 그래도 내일 추가 대출 때문에 연락을 좀 드리려고 했는데⋯⋯ 아, 오늘? 선물을?"

눈을 동그랗게 떴던 장년인은 이어지는 말에 피식했다.

"예. 그럼 맨날 만나던 거기로 보내 주십시오."

통화를 종료한 장년인은 핸드폰을 빤히 보다가 손을 저었다.

"그거 그만 내려놓고 맛있는 거 먹으러 가자."

사내들이 연장을 챙기며 몸을 일으켰다.

* * *

−이제 다시 사랑 안 해−!

애절한 노랫소리가 달리는 차 안.

노란 가로등 불빛이 빠르게 스쳐 지나가는 차창으로 특수부 검사 김윤재의 얼굴이 비춰진다.

그런 그의 머릿속에 특수부를 나서기 전 선배 검사가 한 말이 떠오른다.

−잘 지켜봐. 마산 시골에서 썩던 양반을 고작 10년도 안 되어 특수부 부장검사까지 올린 놈이니까.

1998년 방콕아시안게임 유도 영웅 최종혁.

2004년 경찰대 졸업 후 경위로 시작해 고작 2년 만에 경정을 달았다.

해결한 초대형 사건만 해도 열 손가락이 모자라며, 요 몇 년 사이 경찰 내부에서 일어난 경찰 개혁의 참모이자 선봉장이고, 최근엔 우봉리 사태를 조기에 종결시킨 미친 괴물이다.

'이런 괴물을 지켜봐라?'

"후우우."

차창에 그의 답답함이 번져 간다.

그런 김윤재를 힐끔 본 종혁은 고개를 모로 기울였다.

'아까 밥을 너무 많이 먹었나?'

그렇다면 좀 억울했다.

빼지 않고 잘 먹는 모습이 보기 좋아서 더 시켜 줬을 뿐, 과식은 오직 김윤재 본인의 선택이었다.

'거 아무리 나한테 뭔 목적이 있는 것 같다지만 적당히 좀 하지.'

볼을 긁적인 종혁은 슬그머니 입을 열었다.

"이번에 법무부에서 보호관찰을 강화하겠다는 말이 나오던데, 좀 들으신 거 있습니까?"

"아, 말 그대로 기존에 있던 보호관찰을 약간 강화하는 수준이라더군요."

"쯧. 획기적인 뭔가는 없다는 거네요."

김윤재는 툴툴거리는 종혁을 보며 미간을 좁혔다.

형사라는 걸 몰랐다면, 부모 잘 만났음에도 사회에 불

만이 많은 애새끼로 보이는 종혁.

"그럼 최 팀장은 생각한 것이 있습니까?"

"보호관찰 처분을 받은 놈들 모두 아프리카로 봉사활동 보내는 거?"

김윤재는 헛웃음을 터트렸다.

'정말 그 사건들을 이놈이 다 해결한 거 맞나?'

"그게 상식적으로 가능 할 것 같습니까?"

종혁은 무시하는 듯한 그의 말투에 눈을 가늘게 떴다가 이내 피식 웃었다.

'이제 검사 몇 년 차랑 아옹다옹해서 뭐하나.'

"인지도가 절실한 저가 항공사 하나랑 봉사단체 하나 골라잡아서 협업 맺자고 하면 얼씨구나 하고 달려들걸요?"

"⋯⋯어?"

"아니면 이미지 마케팅이 필요한 대형 항공사나 대기업에 의사를 타진해도 되고. 무려 법무부 소속 공무원들을 죄다 고객으로 끌어모을 수 있는 기회인데 미쳤다고 거부할까요."

충격을 받은 김윤재의 눈이 파르르 떨린다.

"그보다 오늘 주가가 3천 원이나 빠진 거 들었죠?"

이런 우연이 있을까 싶을 정도로 권아영이 루에보에 들른 다음 날부터 하루에 300원, 500원씩 사흘 연속 미약한 하락세를 이어 가던 루에보의 주가가 오늘 하루 만에 무려 3천 원이나 빠졌다.

놈들이 본격적인 개미 털기에 들어갔단 소리였다.

"하지만 곧 반등이 일어나겠죠."

"오. 주식에 대해 좀 아시네요?"

"특수부 검사가 작전을 모를 리가 있겠습니까?"

'거 누가 영감님 아니랄까 봐 겁나게 딱딱하구만?'

그렇다면 다행이라는 듯 어깨를 으쓱인 종혁은 이어폰을 귀에 꽂았다.

"예, 과장님. 최 팀장입니다. 다른 은행 쪽은 어떻게 됐습니까? 예? 아니, 아직까지 지켜보면 어떡합니까!"

─특수부 검사님들께서 신중하게 가자는군요.

'지랄 염병 났다.'

하지만 사안이 사안임을 알기에 종혁은 더 말할 수가 없었다.

"후, 알겠습니다. 저희요? 저흰 약속 장소에 거의 도착해 갑니다."

부아아앙!

종혁은 앞에서 속도를 내어 달리는 퀵 오토바이를 보며 눈을 빛냈다.

부다당!

공사가 중단된 지 오래인 어느 공사장 앞, 퀵 오토바이가 멈춰 선다.

지이잉!

[얼른 끝내고 밥 먹읍시다.]

"먹깨비 새끼."

피식 웃은 배달기사는 마스크를 추켜세우며 어딘가로 전화를 걸었다.

"예! 퀵인데요! 아, 지금 오고 계실 거라고요? 예, 알겠습니다!"

어깨를 으쓱인 배달기사는 마스크를 내리며 담배를 물었다.

그렇게 얼마나 시간이 흘렀을까.

20분이 지나도 사람이 나오질 않자 배달기사는 혀를 차며 다시 핸드폰을 들었다.

"아, 정말 연락한 거 맞……."

"퀵?"

"씨발, 깜짝아! 퀴, 퀵 받으시는 분?"

소리 없이 나타난 사내가 고개를 끄덕이며 손을 까딱이자 혀를 찬 배달기사는 뒤에서 작은 박스를 꺼내 내밀었다.

"예. 여기에 성함 적어 주시고요. 거기요, 거기."

슥슥슥!

송장에 이름을 적은 사내는 박스를 들고 방금 전 걸어 나왔던 골목으로 들어갔고, 배달기사는 콩닥거리는 가슴을 두드렸다.

"씨발. 뭔 사람 눈빛이……."

순간 눈빛이 낮아진 그는 방금 전 사내가 만진 볼펜을

조심히 가슴팍에 집어넣고는 핸드폰을 들었다.

"어. 나 지금 일 끝났거든? 아, 여기로 올 필요는 없고, 내가 거기로 갈게."

왠지 느낌이 쎄했다. 당장 이 자리에서 벗어나라고 육 감이 맹렬하게 외치고 있었다.

배달기사는 오토바이를 출발시켰다.

그러나 멀리 가진 않았다.

차에서 나와 있는 종혁의 옆에 멈춰 선 배달기사는, 아 니 오택수는 입을 열었다.

"위치 추적은?"

놈에게 넘긴 건 택배가 아니라 GPS 발신기였다.

맨날 그 공사장 앞에서 만났단 소리에 종혁은 안전하고 도 확실한 그 방법을 택했다.

"안 그래도 슬슬 연락해 보려고 했습니다."

아무리 의심이 많은 놈이라도 황금 만년필 세트를 버리 진 않을 터.

"연락하고 후발대랑 합류하면……."

"이럴 줄 알았지."

섬뜩!

종혁은 어둠 속에서 걸어 나오는 5명의 사내를 보곤 혀 를 찼다.

"잘하시네요. 미행이나 당하고."

"……쯧. 요새 너무 늘어져 있었나?"

이놈들의 조심성이 너무 많은 것일 수도 있다.

종혁은 다급히 차 손잡이를 잡는 김윤재를 만류했다.

"안에 계세요. 다치니까."

정말 다친다.

중년인 뒤에 서 있는 4명, 눈이 마주치자마자 온몸의 솜털이 곤두서는 위험한 분위기를 풍기는 4명의 사내는 예사 놈들이 아니었다.

종혁의 입술이 메마르기 시작했다.

장년인은 긴장을 하는 종혁과 오택수를 보며 입을 열었다.

"겨우 셋이 온 건가?"

경찰이든 뭐든 상관없다.

중요한 건 하나다. 이들이 자신들에 대해, 이번 작전에 대해 어디까지 알고 있느냐.

다른 총책들까지 이들이 알고 있다면 지금 당장이라도 발을 빼야 할 터.

'아니라면 이놈들만 없애면 되겠지.'

이런 방해물마저 치우라고 그런 큰돈을 받는 게 아니던가.

돈 들고 튀려는 놈이나 경찰이나 어차피 배에 칼이 들어가면 매한가지다. 공구리 쳐서 바다에 던져 버리면 그 누구도 못 찾는다.

그럼 작전은 차질 없이 진행될 거고, 작전이 마무리되면 자신은 주영도 회장에게 받은 막대한 돈을 가지고 동남아로 넘어가 한 5년 정도 휴가를 즐기다 돌아오면 되었다.

"입만 살려 놔."

스릉!

대답 대신 날붙이를 꺼내 든 넷이 발을 내딛자, 종혁은 점퍼를 벗어 왼팔에 감으며 입술을 핥았다.

"오늘 선지 좀 뽑겠네."

이럴 줄 알았으면 방검복을 입고 올 걸 그랬다.

"어떻게든 버티기만 해요."

"지랄. 너나 먼저 눕지 마."

마찬가지로 왼팔에 점퍼를 감은 오택수.

둘은 성큼성큼 네 명을 향해 다가갔다.

그리고…….

스악!

기합조차 없는 침묵의 칼질로 그들의 사투가 시작됐다.

쉭!

느린 세상 속에서도 빠르게 바람을 가르는 칼날.

그 주인의 면상을 향해 주먹을 뻗으려던 종혁은 다급히 물러났다.

슈악!

옆구리를 가르는 다른 칼날. 곧 역으로 쥐어지며 어깨를 노려 온다.

'씨발!'

거액이 얽힌 사건은 이래서 문제다.

돈이라는 만능열쇠가 있다 보니 이런 놈들이 튀어나오

기 때문이다.

합격을 제대로 배운 칼귀신들.

피 맛을 본지 얼마 안 된 듯 급소를 망설임 없이 노려오는 칼날이 섬뜩하기 그지없다. 전에 세진은행 사건 때 만난 그 조직의 놈들보다 더 수준이 높다고 봐야 했다.

"씨발! 대체 어디서 이런 놈들이 튀어나와서는—!"

노려지는 어깨를 비튼 종혁은 그의 옆구리를 향해 왼주먹을 그대로 올려쳤다.

'걸렸어!'

뻐어억!

"큽!"

"허쭈? 막아…… 씁!"

그 찰나 팔을 내려 주먹을 막은, 옆으로 날아가는 놈을 신기하다는 듯 본 종혁은 다급히 몸을 비틀며 물러났다.

그와 동시에 반대쪽 어깨가 있던 자리로 칼날이 지나간다.

종혁은 침을 삼키며 꿰뚫릴 뻔한 어깨를 매만졌다.

"씨발. 기스 났네."

피한다고 피했는데 아릿한 통증이 어깨에서 느껴진다.

종혁은 날아가 벽에 부딪치는 놈과 그런 그를 일으켜 세우는 다른 놈을 노려보며 입을 열었다.

"거긴 좀 어때요?"

"몰라, 씨발! 말! 흡?! 걸지, 씨발! 마아!"

뻐억!

'살아 있네.'

당장 죽진 않을 것 같다.

그제야 마음의 여유를 찾은 종혁은 숨을 길게 내쉬었다.

"후우우."

그와 동시에 더 느려지는 세계.

종혁은 좋은 입 놔두고 눈으로 뭔 대화를 나누는지 얻어맞은 팔을 가리키며 고개를 젓거나 끄덕이며 지랄하는 놈들을 향해 상체를 슬쩍 숙였다.

"야, 형이 이제야 좀 몸이 풀리는 것 같거든? 기어 올릴 테니까 니들 목숨은 알아서 챙겨라."

아무래도 더 이상 사정을 뒀다가는 어디가 뚫려도 뚫릴 것 같으니 말이다.

"경고했다!"

종혁은 땅을 박차며 그들을 향해 달려들었고, 그 순간 눈을 빛낸 그들도 종혁을 향해 달려들었다.

그런데⋯⋯.

'어?'

팔을 얻어맞은 놈이 다친 팔을 늘어트리며 방패가 되듯 앞장섰고, 멀쩡한 놈이 그 뒤에 숨어 달려들었다.

앞의 놈을 막는 순간, 뒤의 놈이 튀어나와 찌르려는 거지 같은 수작.

하지만 그렇다고 앞의 놈을 무시하기엔 놈 또한 멀쩡한 손에 칼을 쥐고 있었다.

어떤 놈을 제압하든 칼을 피하기 어려운 상황.

그러나…….

"병신들."

종혁은 그대로 몸을 띄워 양발을 모아 밀어 찼다.

드롭킥.

설마 이런 식으로 반격할 줄은 예상치 못했는지 당황한 앞의 놈의 가슴을 후려찼다.

뿌드득!

발끝에서 느껴지는 뼈가 밀려나는 감촉과 함께 뒤로 날아가는 놈과 천천히 가까워지는 땅.

'이대로 떨어지면 안 돼!'

뿌득!

이를 악문 강하게 종혁은 허리를 비틀며 앞의 놈 뒤에 숨어 있던 놈을 찾았다.

역시나 예상대로 옆으로 튀어나와 종혁이 떨어질 그 자리를 향해 몸을 날리는 놈.

종혁은 느릿한 세상 속 이쪽을 향해 놀란 눈을 돌리는 놈의 모습에 씩 웃었다.

"뭐, 이 새끼야."

타아악!

종혁이 착지하는 것과 동시에 빈 땅을 덮치는 놈.

눈에서 감정이 사라진 종혁은 다급히 구르려는 놈의 옆구리를 향해 사커킥을 강하게 날렸다.

"뒈져."

콰드드득!

* * *

한 놈을 조져 놓으니 다른 놈들을 조지는 건 수월했다.

"허억! 헉!"

땅바닥에 널브러지듯 앉아 거친 숨을 몰아쉬는 오택수. 여기저기가 찢긴 옷에서 피가 스며 나온다.

종혁은 그 상처를 콕콕 찌르며 실실 웃었다.

"아파요?"

"악! 그럼 안 아프겠냐! 씨발, 진짜 뒈지는 줄 알았네!"

"거 엄살도. 침 바르면 낫겠구만."

"뭐 인마?!"

종혁은 그의 왼손에 붙잡힌 채 끙끙대는 작은 체구의 장년인을 응시했다.

상황이 불리해지자 도망치려던 걸 종혁이 다급히 낚아채자 허리를 삐끗했는지 끙끙거리는 그.

종혁은 씩 웃었다.

"야, 입은 살아 있지?"

할 이야기가 참 많았다.

─야, 이 문디 자슥아─!

맨션 안, 종혁이 다급히 귀에 대고 있던 핸드폰을 떼어낸다.

─작전을 제안한 자슥이 작전을 어그러트리는 게 말이

되나! 니 내한테 혼날까 봐 안 오는 거 맞제? 퍼뜩 온나!
한 대만 때릴게!

맞다. 그래서 수사 본부가 아니라 여기로 온 거다.

─이제 우얄 끼고!

입이 백 개라도 할 말이 없다.

이놈이 조심성이 많았든 뭐든 작전이 실패를 했다면 현
장에 있던 사람의 잘못이 맞으니까.

"뭐 고분고분 따르게 해 봐야죠."

─……되긋나?

"뭐, 어떻게든?"

─쯧. 알았다. 패 죽이든 말든 어떻게든 따르게만 해라.
책임은 내가 다 질 테니까.

"오올."

─확, 진짜 마! 하아……. 됐고, 김 프로나 바꿔 봐라.

종혁은 묘한 눈으로 자신을 보고 있는 김윤재에게 핸드
폰을 넘겼고, 전화를 받은 그는 다급히 허리를 숙였다.

"예, 부장님. 예, 예."

종혁은 그런 그를 일견하며 안방으로 향했다가 피식 웃
었다.

마치 자물쇠라도 채워 놓은 듯 입을 꾹 다문 채 눈을
감고 있는 장년인과 그런 그를 노려보는 오택수.

"입은 좀 열어요?"

"보면 모르겠나?"

잡힌 그 순간부터 입을 다물고 있다.

지문 대조를 통해 이름하고 나이, 전과만 겨우 알아냈을 뿐이었다.

종혁은 힐끔 시계를 봤다.

저녁 11시. 이제 10시간 후면 다시 주식 시장이 개장된다. 그 전에 이자의 협조를 얻어 내야 했다.

"제가 할 테니 나가 보세요."

"……에이, 씨발."

쾅!

오택수가 문을 거칠게 닫고 나가자 종혁은 오택수가 앉아 있던 자리에 앉아 그를 빤히 바라봤다.

'이 새끼를 여기서 다 보네.'

이름 장동웅. 주가 조작 전과만 3범. 현재는 아직 2범.

알려지지 않은 범죄 사실이 더 많을 걸 예상하면 이놈이 얼마나 은밀하고 신출귀몰한지 예측할 수 있는 부분이다.

회귀 전, 아주 유명했던 용병 중 하나지만 종혁과는 인연이 없어서 단 한 번도 마주치지 못했다.

그래서 아까 단번에 알아차리지 못한 거다.

'자, 그럼 시작해 볼까?'

종혁은 피식 웃었다.

"야, 내가 관상을 좀 볼 줄 알거든?"

거짓말이다.

"그런 내가 봤을 때 넌 누구 밑에 있을 상이 아니야."

장동웅은 유명한 독고다이 용병이자 브로커다.

주가 조작을 하려는 놈들에게 세력을 연결시켜 주거나 관리를 하고, 때론 직접 설거지까지 하는 만능 재주꾼.

　"그렇다면 돈을 받고 일해 주고 있다는 건데…… 너 네가 이렇게 입을 꾹 다물고 있으면 결국 돈은 받을 거라고 생각하는 거지?"

　이놈과 작전 세력이 서로 연락을 어떻게 하는지는 모르겠지만, 분명 어떤 방식으로든 정기적으로 할 것이다.

　그런데 연락이 와야 할 시간에 연락이 안 온다면?

　"그럼 네가 관리하는 작전 세력들은 잠수를 타거나 다른 아지트로 이사하겠지."

　잠수를 타는 것도 골치 아프지만, 다른 아지트로 옮기는 게 더 골치 아프다. 주가 조작이 멈추지 않고 계속 될 테니 말이다.

　그건 곧 작전의 성공을 의미했다.

　"그러면 넌 어떻게든 경찰살인교사가 아닌 폭행 교사를 주장하며 4년 정도 빵에서 살다가 나와 그 돈으로 호의호식하겠지. 너처럼 생긴 새끼는 받아야 할 돈을 받지 못하면 미쳐 버리니까."

　주영도의 아가리를 찢어서라도 받아 낼 거다.

　"그런데 어쩌냐? 그 돈, 받지 못할 텐데?"

　……스륵.

　꽉 다물어진 자물쇠처럼 닫혀 있던 눈이 열린다.

　'큭큭. 그래, 너 같은 돈 귀신이 이런 말을 참을 리 없지.'

종혁은 손가락을 폈다.

"이번 루에보에 달라붙은 총책이 너 포함 총 3명."

흠칫!

"그래. 마킹 다 끝났어, 새끼야."

장동웅의 눈동자가 흔들린다.

하지만 그것도 잠시다.

"흥. 정말 그렇다면 이렇게 주저리주저리 떠들 이유가 없
겠지. 젊은 형사 양반, 계급이 어떻게 되지? 경장? 경위?"

마치 옷 속을 꿰뚫어 보려는 듯 날카로운 시선과 주도
권을 잡으려는 듯한 모습에 종혁은 나른하게 웃었다.

"대현 F&M."

……꿈틀!

그의 눈썹이 흔들린다.

종혁의 미소가 짙어졌다.

"왜? 이래도 모르는 것 같냐?"

"……."

"내가 앞으로 우리 경검의 계획을 알려 줄게. 그래, 네
말처럼 우린 너희에 대해 많이 몰라. 아는 건 겨우 너랑
대현 F&M뿐이지. 그래서 이걸 아주 잘 활용할 생각이
야."

개미 털기가 끝난 후 시작될 이들의 폭탄 돌리기.

"아, 잠시만?"

잠시 밖에 나갔다가 위스키를 따른 잔을 들고 온 종혁
은 그걸 탁자에 올려놓았다.

"네가 관리하는 세력이 몇 갠지, 너희 세력이 총 몇 갠지 상관없어. 어차피 너희가 폭탄을 이렇게……."

스윽! 스윽!

컵이 탁자 위에서 큰 원을 그리며 스산한 소리를 낸다.

"돌리고 돌리다 보면 결국 대현 F&M의 손에 쥐어질 테니까. 바로 그때!"

종혁은 떨리기 시작하는 그 눈을 응시하며 위스키를 단숨에 들이켰다.

"이렇게 해 버리면 어떻게 될까?"

다른 세력에게 넘겨야 할 물량을 그냥 스톱시켜 버리면?

"이 애새끼가!"

종혁은 의자에 묶였으면서도 벌떡 일어나는 장동웅의 머리채를 잡아 그대로 탁자에 찍어 버렸다.

쾅!

"커억!"

"또 아프고 싶으면 아가리 털어 보시든가."

"크으윽……."

종혁은 죽일 듯 노려보는 그를 보며 이죽였다.

"자, 그럼 다시 방금 하다 만 이야기로 되돌아와 보자, 그렇게 물량이 압수당하면 어떻게 될까?"

이번 작전에 동원된 모든 자금이 공중에 날아가는 거다.

"그리고 우린 이걸 바탕으로 주영도의 목까지 따 버릴

생각이야."

JU그룹 사옥에서 낄낄거리고 있을 주영도를 비롯한 JU그룹의 모든 직원을 검거한다. 그게 이번 검경 합동작전의 개요였다.

"자, 이래도 네가 돈을 받을 길이 있을 것 같냐? 아, 뭐 그 새끼가 숨겨 둔 계좌 이런 생각은 꿈도 꾸지 마라. 이 거 본청과 중앙지검 특수부 합동작전이다."

움찔!

정말 그랬다는 듯 몸이 흔들린 장동웅은 종혁을 죽일 듯 노려봤다.

하지만 그것도 잠시. 어떻게든 빠져나갈 구멍이 없다는 걸 깨달은 그의 눈에서 독기가 빠지기 시작했다.

"……생각할 시간을 줘."

"오케이. 우리 경찰이 또 이런 건 기다려 주지. 어떤 게 네 형량에 도움이 될지 잘 생각해 봐."

몸을 돌리던 종혁은 순간 아차 하며 장동웅을 돌아봤다.

"아, 참고로 나도 루에보 주식을 한 10퍼센트 들고 있 거든?"

"뭣?!"

"내가 원래 주식에 관심 많아. 그런데 어머나 씨발? 갑 자기 뛰는 주식이 있네? 그런데 천 원짜리네?"

종혁의 입가에 잔혹한 미소가 걸리기 시작한다.

"야, 이거 내가 지금 던지면 어떻게 될까? 개미가 털릴까, 아니면 너희가 털릴까? 싸움 붙었으면 재밌었겠다, 그치?"

"……."

"그럼 차분히 생각해. 필요한 거 있으면 말하고."

쿵!

문이 닫히자 장동웅의 얼굴이 하얗게 질린다.

"모두 저 미친 새끼의 손바닥 위였다는 건가……."

마지막의 그 미소, 그 눈빛.

산전수전공중전 다 겪은 그조차도 감히 오래 마주칠 수 없을 만큼 제대로 돌아 버린 자의 눈이었다.

그의 전신에 식은땀이 서리기 시작했다.

한편 밖으로 나온 종혁에게 다급히 오택수가 달라붙는다.

"야, 어떻게 됐어? 될 것 같아?"

김윤재도 말은 안 할 뿐, 같은 의미를 담은 눈빛으로 물어 온다.

방음이 어찌나 잘되는지 안에서 나눈 이야기가 단 하나도 새어 나오지 않았기 때문이다.

"할 만큼은 다 했어요."

어떻게든 알리기만 하면 된다. 그럼 돈을 받을 수 있다고 생각할 그.

종혁은 그렇게 놈이 품고 있을 일말의 희망마저 모두 끊어 버렸다.

혹시나 도주에 성공해서 알려 봐야 의미 없다고.

같이 던져 버리고, 같이 매입하는 진흙탕 싸움이 시작된다고 협박함으로써 말이다.

종혁은 한 명의 피해자라도 덜 발생시키기 위해선 얼마든지 그래 줄 수 있었다. 그러기 위해 산 주식이었다. 최후의 보루로 말이다.

'차라리 다 매입해 버렸으면 상관없겠지만.'

그랬다간 종혁이 모르는 곳에서 이와 같은 사태가 발생했을 터.

"나머진 저놈이 사리분별을 할 줄 아는 놈이기만을 바라야죠."

종혁은 정말 이젠 기다릴 거라는 듯 소파로 걸어가 누워 버렸고, 그런 종혁을 보며 갈등을 하던 둘은 이내 혀를 차며 적당한 곳에 엉덩이를 붙였다.

맨션에 침묵이 내려앉았다.

그렇게 얼마의 시간이 흘렀을까.

─이봐!

번쩍 눈이 떠진 종혁과 오택수, 김윤재가 안방을 응시한다.

다급히 몸을 일으킨 종혁은 안방 문을 열었고, 어떤 열망이 서려 있는 장동웅의 얼굴을 발견할 수 있었다.

그 순간 종혁은 직감했다.

"주가 조작에 경찰특수폭행교사 합해서 6년. 가능해?"

"오, 협상 좀 할 줄 아는데?"

"그래서 대답은?"

"뭘 물어. 당연히 가능하지. 사식도 넣어 줄까?"

종혁의 입가에 승리의 미소가 걸렸다.

이번 사건도 슬슬 끝을 보이고 있었다.

* * *

장동웅이 종혁에게 협력하기 몇 시간 전.

서울 안에 위치한 한옥 요정.

"믿지. 자금 조달도 확실히 하고."

ㅡ예. 받는 만큼만 하겠습니다.

하얗게 센 머리가 벗겨진 통통한 체격의 오십대 후반 장년인, 주영도가 핸드폰을 내려놓는다.

'받는 만큼만 하겠다라……'

피식 웃은 그는 핸드폰을 응시하던 시선을 올려 맞은편에 앉은 두 명의 사십대 중년인을 응시했다.

"내가 너희만 따로 부른 이유를 알아차렸을 거야."

그의 입가에 걸리는 의미심장한 미소에 중년인들도 같은 미소를 짓는다.

앞으로 한 달이면 이 예술과 같은 작전도 끝이 난다.

그럼 남은 건 하나다.

뒷정리. 줄 돈은 주고, 챙길 돈은 챙기고 서로 헤어진다.

하지만 끝날 때가 되어 가니 그 줄 돈이 굉장히 거슬리기 시작했다.

"영석이 너야 내 육촌동생이고, 주찬이 자네야 영석이 깜빵 친구라지만 장동웅 그치는 완전 남이잖아?"

이번 작전의 총책 중 한 명인 주영석.

처음 물어물어 믿을 수 있는 작전 세력을 끌어모을 때 주영석이 자신의 육촌동생이라는 걸 알고 얼마나 놀랐던 가. 역시 주씨의 피가 어디 가지 않는다고 크게 웃었다.

그런데 장동웅은 오직 풍문과 커리어만 보고 스카우트 한 케이스다.

"음. 그런데 괜찮겠습니까? 장 똥개 그 양반 만만치가 않을 텐데요."

이 바닥에서 장동웅을 가리키는 별명인 똥개.

돈이 되는 건 아무거나 다 한다고, 약속된 먹이를 주지 않으면 주인도 서슴없이 문다고 해서 똥개다.

더욱이 언제나 허름한 옷을 입고 다니면서 김밥 따위로 끼니를 때울 정도로 돈에 대한 집착이 어마어마한 놈이 라 잘못 건드리면 이쪽이 물린다.

"거기다 데리고 다니는 칼잡이들도 무시무시하고……."

말없이 장동웅의 뒤를 지키는 경호원들을 본 사람들은 본능적으로 느낀다. 헛짓하면 이쪽의 목숨이 날아간다는 걸.

그런 육촌동생의 말에 주영도는 피식 웃었다.

"장 이사에게 줄 성과금의 반을 주지."

움찔!

장동웅이 이번 일을 해 주는 대가로 받는 돈이 150억이다.

그 반이면 75억. 그 돈이면 사람 다섯 명을 세상에서 사라지게 만들기에 충분한 액수였다.

생각을 정리한 육촌동생과 깜빵 친구는 서로를 보며 입술을 비틀기 시작했고, 주영도는 그런 둘을 보며 흐뭇이 웃었다.

'제일 까다로운 장동웅이 사라지면……'

다음은 이 둘이다.

주영도는 애초부터 이들에게 돈을 줄 생각이 없었다. 돈 앞에서는 형제도 부모도 의미가 없었다.

'그 돈이면 사업체를 몇 개나 차릴 수 있는데?'

다단계 말고도 몇 개의 사업체를 가진 JU그룹.

"그럼 일은 차질 없는 거겠지?"

"……흐흐. 걱정 마십시오. 차질 없게 진행되고 있으니까. 제가 우리 형님 더 부자로 만들어 드리겠습니다!"

"예, 이번 하락장 끝나면 경찰에 우리 개미님들 자살 신고 좀 접수될 테니 회장님께선 그날 신문은 보지 마십시오!"

"에이, 겨우 첫 번째 하락에 그러겠어? 마지막 하락장, 그리고 이어지는 폭락에 그렇게 되겠지."

"야, 그래도 버티지 못하는 놈들도 있을걸?"

"아, 루에보 사장이 그러면 좋겠네. 그쪽 물량 풀리면 일이 더 쉽게 될 텐데."

보아라.

이들도 돈 앞에서 사람 목숨을 하찮게 여기지 않나.

미소가 짙어진 주영도는 밖을 향해 손뼉을 크게 쳤다.

짜악!

"……들어가겠습니다."

스르륵.

문이 열리며 들어온, 속이 희미하게 비추는 한복을 입은 미녀들이 안으로 들어오자 육촌동생과 깜빵 친구의 눈이 동그래진다.

주영도는 옆으로 다가와 부축하는 미녀의 엉덩이를 움켜쥐며 몸을 일으켰다.

"어머!"

그 거침없는 손길에 볼을 붉힌 미녀가 품에 안기자 크게 웃는 주영도.

"난 먼저 일어날 테니 너희도 적당히 마시고 일어나. 내일도 마시려면 몸 관리 좀 해야지?"

내일은 금요일.

장동웅까지 합해 세 명의 총책에게 정기 보고를 받는 날이다.

"어이, 너희 둘. 옆에 계신 분들 확실하게 모셔. 아주 중요한 분들이니까 어? 아주 그냥 두 번 해 드려."

"네!"

"호호호호. 안녕하세요, 사장님—! 설희예요! 자, 츄—!"

"이야, 여기 화끈한데?"

"으하하핫! 그래, 그럼 제대로 놀아 볼까?"

스르르, 탁!

등 뒤로 문이 닫히자 언제 웃었냐는 듯 주영도의 눈빛이 차가워진다.

'해결사놈들 중 확실한 놈들이 누구더라…….'

"회장님, 바로 침실로 가실 건가요? 아니면 목욕탕부터 가실래요?"

목욕탕으로 가면 아주 화끈할 거라는 듯한 미녀의 눈빛에 주영도는 하던 생각을 멈췄다.

"……흐흐. 우리 애기가 하자는 대로 해야지, 암! 으하하핫!"

그들은 나무로 된 복도를 빠르게 걷기 시작했다.

* * *

지옥으로 향하는 기차에 올라탄 기분이 이럴까.

끝을 모르는 추락, 또 추락.

영혼까지 밑바닥이 없는 아득한 구렁텅이로 떨어지는 것 같다.

지금 루에보의 사장과 전무의 기분이 그랬다.

고작 나흘이다. 37000원에서 31000원까지 내려앉는 데 걸린 시간이.

입이 바싹 마르고, 눈이 뽑힐 듯 아픈 사장은 불이 꺼진 모니터를 뚫어져라 쳐다봤다.

"어, 어떻게 됐어?"

"기다려! 지금 확인하려고 하고 있잖아!"

뒤돌아선 전무의 재촉에 버럭 화를 낸 그는 숨을 깊게 들이마셨다.

"스으읍! 후우우!"

심호흡을 한 전원 버튼을 누르며 눈을 질끈 감았다.

"뭐야! 어떻게 된 건데! 오른 거야, 만 거야?!"

거듭된 재촉에 사장은 슬그머니 눈을 떴다.

그런 그의 눈에 희미한 빨간색 그래프가 박힐 듯 들어왔다.

"오, 올랐다—!"

"올랐어? 얼마나?! 얼마나!"

"150원 올랐…… 어어? 아, 안 돼! 안 된다고!"

"아아악!"

모니터에 다시 등장한 파란 그래프.

어깨를 축 늘어트린 사장은 멍하니 모니터를 응시했다.

"왜지? 대체 왜지?"

증권가에 '루에보 200퍼센트 무조건 상승', '루에보 호재!'라는 찌라시가 수없이 돌아다닌다. 인터넷의 작은 신문사도 루에보에 호재가 있을 거라며 팔지 말라고 외치고 있다.

그런데 주가는 계속 하한가다.

시장에 물량을 쏟아지고 있단 소리다. 일반 투자자들이

감히 받아 낼 수 없는 막대한 물량이.

이젠 인정해야 됐다.

작전 세력이 개미 털기에 들어갔다는 걸 말이다.

더욱이 오늘은 금요일이다.

소식이 느리거나 일단 사놓고 주식창을 보지 않는 사람들까지도 월요일이 되면 너도나도 주식을 팔아 치우기 시작할 것이다.

어디까지 언제까지 주가가 떨어질지 몰랐다.

"……박 전무, 아니 동재야. 동의하냐?"

전무는 눈을 질끈 감았다.

"동의해."

고개를 끄덕인 사장은 핸드폰을 들었다.

─어머나, 이제 정하셨나 보네요?

그때나 지금이나 똑같이 여유로운 목소리.

사장은 찢어지는 가슴을 꽉 쥐며 겨우 입을 열었다.

"예. 루에보 팔겠습니다."

그렇게 두 사람의 지분 매각이 결정되었다.

"예, 알겠습니다. 일단 계약서에 사인부터 하시고 언론에 발표는……."

종혁은 오늘 날짜를 떠올렸다.

공교롭게도 금요일.

장동웅의 협력 덕분에 나머지 총책 두 명을 찾긴 했는데, 아직 확보를 못하고 있다.

'장이 마감되면 총책들 전부 주영도에게 보고를 하러 JU에 들어간다고 했지.'

그러며 주영도가 베푸는 주지육림에 빠진다고 했다.

확보를 한다고 해도 협력을 얻을 수 있을지, 없을지 모르는 상태에서 무리하게 확보했다간 일을 망칠 수 있다.

그중 한 명이 주영도의 친척이라서 더 그럴 확률이 높다.

그러니 토요일에 이놈들을 확보해 협력을 얻어 내야 한다.

"다음 주 월요일에 발표하면 될 겁니다."

주식 시장이 열리는 바로 그 시각.

오늘 장이 마감되면 흩어져 유흥주점이나 나이트클럽 등 술판에 빠질 작전 세력들도 모두 아지트에서 대기하고 있을 그 시각.

-그건 상관없는데…… 괜찮을까요?

괜찮지 않다.

'일망타진 소식이 언론을 탄다면 너도나도 던지기 시작하겠지.'

루에보에 패닉이 일어나는 거다.

사려는 사람은 없을 거고, 팔려는 사람만 가득한 아비규환. 아마 폭락하는 주가에 잘못된 선택을 하는 사람도 생길 거다.

-아무리 언론으로 떠든다고 해도 사람들은 허황되다 생각할 거예요. 지푸라기라도 잡아야 하는 사람들만 겨

우 버틸 거예요.

그만큼 자율주행 전기자동차는 허황된 이야기다. 현재로선 말이다.

그러니 그 패닉을 잠재울 힘, 공신력이 필요하다. 피해자들이 믿고 참을 수 있는.

"그걸 가능케 할 분을 만나 부탁드려야죠."

―아, 그분 말이시군요? 알았어요!

"끊겠습니다."

전화를 끊은 종혁은 한정식집을 바라보며 한숨을 내쉬었다.

'가 볼까?'

딸랑!

문을 열고 들어가자 카운터에 있던 장년인이 정중히 고개를 숙인다.

"안에서 기다리고 계십니다."

"감사합니다."

그를 따라 한 방 앞에 선 종혁은 열리는 문을 통해 들어갔다.

그러자 먼저와 기다리던 현몽준이 녹차를 손에 쥔 채 짓궂게 웃으며 맞이해 주었다.

"오늘은 어떤 재밌는 일로 보자고 하셨는지 기대가 되는군요."

만날 때마다 흥미진진한 화두를 던지는 종혁.

종혁은 잔뜩 기대하는 그를 향해 정중히 고개를 숙이며

폭탄을 던졌다.

"지금은 영화에서나 나올 법한 허황된 이야기입니다. 하지만 제게 이걸 주신 분들께서 이렇게 말하시더군요. 후에 대표님께 큰 힘이 되어 줄 물건이라고."

쿠웅!

현몽준의 낯빛이 단숨에 굳어졌다.

*　*　*

'러시아? 미국?'

우봉리 사태 때 종혁을 구하라고 청와대를 뒤집은 러시아와 미국.

그때 확실히 알게 됐다.

러시아와 미국이 종혁을 얼마나 욕심을 내고 있는지, 종혁이 러시아와 얼마나 짙은 친분을 가지고 있는지 말이다.

……후룩!

"이거, 최 팀장님이 누군가의 말을 전하는 일을 할 줄 몰랐습니다."

한숨을 내쉰 종혁은 머리를 신경질적으로 긁었다.

"어쩌겠습니까. 다 좋아하는 분들께서 서로에게 도움이 될 이야기라는데요."

자신도 오기 싫었다는 티를 팍팍 내는 종혁의 모습에 현몽준을 눈을 빛냈다.

"그 좋아하는 사람에 저도 포함이 되는 겁니까?"

"……아니었으면 이렇게 연락드리지도 않았을 겁니다."

기대는 했지만 순간 멍해진 현몽준은 이내 웃음을 흘렸다.

"푸흐흐. 내가 말한 적이 있던가요? 최 팀장은 참 사람을 기쁘게 하는 사람이라고."

"쩝."

쑥스럽다는 듯 입맛을 다시는 종혁의 모습에 다시 웃음을 흘린 현몽준은 앉으라는 듯 손짓을 했다.

"그래서 그들이 제게 어떤 말을 전하라던가요?"

종혁은 표정을 단단히 굳혔다.

"차세대 자동차."

쿵!

종혁은 낯빛이 딱딱하게 굳는 현몽준을 보며 말을 이었다.

"앞으로 10년 후의 자동차, 아니 이동 수단이라고 하면 이해하실 거라더군요."

꿀꺽꿀꺽! 타앙!

빈 잔을 내려놓은 현몽준이 종혁을 잡아먹을 듯 노려봤다.

"왠지 이 말과 최 팀장이 연관되어 있을 것 같은데…… 내 억측입니까?"

종혁은 머리를 긁었고, 현몽준은 헛웃음을 터트렸다.

"이거 아무래도 오늘 밤이 꽤 길어질 것 같군요. 들을 준비는 다 됐으니 말해 보시죠."

"……후. 일단 이야기에 앞서 제 친구 이모님께서 권&

박 홀딩스의 이사라는 건……."

각색이 된 이야기가 종혁의 입에서 흘러나오기 시작했다.

"허허."

이야기를 다 들은 현몽준은 다시 헛웃음을 터트렸다.

"인연이라는 게 참 이렇게 알 수 없나 봅니다. 작전 세력을 쫓던 와중에 권&박에 그런 제의가 들어오다니."

'대체 러시아와 미국은 그곳에 그게 있다는 걸 어떻게 안 걸까.'

아니, 그런 건 아무래도 상관없다. 러시아와 미국이 현몽준 본인에게 선물을 줬다는 게 중요했다.

아직 정치적 파트너로 삼을 정도는 아니지만, 주시를 하겠다는 뜻. 차세대의 것을 언급하면서도 아직이라는 그들의 대범함에 헛웃음이 나온다.

그러면서도…….

'두 나라가 이 사람 가슴에…… 아니, 최 팀장 이 친구가 이 사람 가슴에 불을 지르는군.'

예전 자신의 이름을 팔고 다니던 참모가 박았던 못이 떠오른다.

대통령이 될 깜냥이 아니라던 폭언.

인정한다. 박노형 대통령의 국정 운영을 보니 절실히 깨달았다. 그래서 대통령은 자신의 것이 아니구나 포기해 가고 있었다.

하지만 이렇게 되면 이야기가 달라질 수밖에 없다.

두 나라의 지지라면 현재 자신에게 부족한 것을 채울

시간을 벌 수 있었다.

'그러면 언젠가…….'

현봉준은 지금 본인이 뭘 전했는지 알면서도 할 말 다 했다는 듯 박력 있게 갈비를 뜯는 종혁의 모습에 웃음을 터트릴 수밖에 없었다.

그들이 어째서 자신을 택했겠는가.

또 그들이 왜 그 대단한 걸 헐값으로 쓸어 담을 수 있는데도 이렇게 손해를 보려는 것이겠는가.

'모두 최 팀장 이 친구 때문이지.'

그러니 자신의 가슴에 불을 지른 것도 종혁이 맞았다.

"기사 제목으로 세상을 뒤집을 천재, 루에보와 미래를 논하고 싶다. 이 정도면 되겠습니까?"

움찔!

'됐군.'

젓가락을 내려놓은 종혁은 고개를 숙였다.

"비록 피해자들은 당 대표님의 이 결단에 대해 알지 못할 테지만, 저희 경찰은 기억하겠습니다. 감사합니다."

"그것참 든든한 말이군요. 다음 주말에 시간 비워 두세요. 코가 비뚤어지도록 마셔 봅시다."

고개를 든 종혁은 씩 웃었다.

* * *

정오가 다 되어 가는 시간.

주영도의 육촌동생이 금방이라도 쓰러질 것 같은 핼쑥한 얼굴로 어느 빌딩을 나선다.

지하에서부터 꼭대기 층까지 모든 걸 즐길 수 있는 파라다이스.

어젯밤의 뜨거웠던, 뿌리가 뽑힐 것 같았던 일을 떠올린 육촌동생의 입가에 흐뭇한 미소가 맺힌다.

하지만 그것도 잠시다.

"어으으. 씨벌, 죽겠네."

내리쬐는 햇볕에 더 죽을 것 같다.

"나도……."

"왔냐. 화끈한 밤은 보냈고?"

"어우. 아주 그냥…… 크큭."

육촌동생은 갑자기 웃는 친구의 모습에 고개를 모로 기울였다.

"아니, 그 짠돌이 똥개 새끼가 이걸 듣고 얼마나 부러워할지 보이는 것 같아서."

공짜라면 양잿물도 퍼마실 장동웅.

어젯밤 그도 왔어야 했지만, 감기에 심하게 걸려 오질 못했다.

육촌동생은 눈을 가늘게 떴다.

"야, 이 새끼 눈치채고 딴생각하는 거 아니냐?"

"그 인간이?"

잠시 생각하던 친구는 고개를 저었다.

"아닐걸? 원체 의심이 많긴 하지만, 일단 맡은 일은 끝까지 하거든. 그러다 돈을 안 주면 물어뜯는 거고."

"그래도 돈에 환장한 놈인데……."

"받을 돈만 받는다. 받는 만큼 일한다. 지가 정한 이 원칙은 하늘이 두 쪽 나도 지키는 놈이니까 걱정 마라."

그러니 제거하기가 편한 거다. 혹여 의심이 들어도 일이 끝날 때까지 도망치지 않으니까.

그런 친구의 말에 육촌동생은 미소를 지었다.

"돈은 어떻게 나눌래?"

"지랄 마라. 무조건 반띵이다. 헛소리하면……."

"오케이. 오케이."

'뭐, 어차피 겨우 몇 억 가지고 싸우면 나만 손해지.'

이번 작전이 끝나면 그가 받을 돈이 100억이다. 주영도가 조금 더 챙겨 주기로 했으니 그깟 돈에 미련 없다.

그런데 그렇게 생각하는 건 친구도 마찬가지였다. 주영도에게 은밀히 그런 제안을, 호가를 조금이라도 높이면 그만큼 더 주겠다는 제안을 받은 그.

그러면 더 많은 이들이 피해를 입겠지만…….

'씨발. 개미들이 죽건 말건 내가 알 게 뭐야?'

'돈이 최고지, 돈이. 흐흐흐.'

앞으로 한 달이 지나면 몇 년은 놀고먹을 돈이 생기는 거다.

그렇게 둘이 곧 다가올 미래에 행복에 부푼 순간이었다.

스윽! 그들의 앞을 여러 명의 사람이 둘러싼다.

"주영석, 황주찬?"

험악하기가 이루 말할 수 없는 면상으로 비죽 웃는 그들.

"우리가 왜 왔는지 알지? 소란 피우지 말고 가자."

"……씨발."

그들은 고개를 푹 숙였다.

그리고 시간이 흘렀다.

* * *

월요일의 이른 아침.

터벅터벅!

혼이 빠진 걸음이 길을 잃은 채 거리를 배회한다.

29700원.

저번 주 금요일 장이 마감됐을 때 루에보의 종가다.

작전. 말로만 듣던 작전이었다.

작전이란 걸 알게 됐을 땐 이미 늦은 상황.

'어떡하지? 다음 달엔 이사할 집 잔금을 줘야 하는데
어떡하지?'

왜 멍청하게 알아보지도 않고 전세금을 집어넣었을까.

학창 시절 가세가 기운 이후부터 아득바득 모아 온 돈
을 왜 함부로 써 버렸을까.

왜 부모님이 힘들게 모은 돈까지 왜 넣어 버렸을까.

왜, 왜, 왜!

"그, 그럼 어쩌라고……. 남들 다 있는 20평 아파트라도 살려면 앞으로 10년은 더 벌어야 하는데 이렇게 안 하면 어쩌라고! 대체 어떡해야 되냐고—!"

변명이다.

아무리 목돈이 눈앞에 흔들렸어도 참아야 했다.

모두 아직 철조차 들지 않는 빌어먹을 애새끼의 변명이었다.

"흐으으……."

지이잉!

[아들, 너무 걱정하지 마. 돈은 또 모으면 돼.]

[사내자식이! 인생 경험했다는 셈치고 오늘 열리면 팔아!]

"허어엉! 미안해요! 엄마! 아빠! 죄송해요!"

아스팔트 바닥 위로 무너진 청년은 핸드폰을 붙든 채 끄억끄억 울어 버렸다.

그 순간이었다.

"팔지 마세요. 오늘 이후론 살 수조차 없을 만큼 오를 테니까."

번쩍!

고개를 든 청년은 멍하니 쳐다봤다.

역광이 져 보이지 않는, 자신의 앞에 선 누군가의 얼굴을.

"내 말 못 믿겠으면 8시 50분에 포털 사이트에 들어가 봐요. 아주 난리가 날 테니까."

청년은 어깨를 토닥이며 멀어지는 청년 종혁의 넓은 등을, 그 뒤를 따르는 수십 명의 사람들을 멍하니 쳐다봤다.

(회귀 경찰의 리셋 라이프 15권에서 계속)